Einsatz von Psy

Anice Holanda Nunes Maia

Einsatz von Psychologiestudenten im Krankenhaus

Systematisierung und Standardarbeitsanweisungen für Praktika

ScienciaScripts

This book is a translation from the original published under ISBN 978-620-2-17277-6.

Publisher:
Sciencia Scripts
is a trademark of
Dodo Books Indian Ocean Ltd. and OmniScriptum S.R.L publishing group

120 High Road, East Finchley, London, N2 9ED, United Kingdom
Str. Armeneasca 28/1, office 1, Chisinau MD-2012, Republic of Moldova, Europe

ISBN: 978-620-7-23048-8

Index :

Kapitel 1   4

Kapitel 2   7

Kapitel 3   8

Kapitel 4   22

Aline Carvalho Rocha
Anice Holanda Nunes Maia
Cesario Rui Callou Filho
Maria Aparecida Ferreira Brandao
Nirla Gomes Guedes
Roberta Duarte Maia
Sheila Maria Santiago Borges
Wladia Teixeira de Morais

Einsatz von Psychologiestudenten in Krankenhäusern: Systematisierung und

Standardarbeitsanweisungen für Praktika.

PRÄSENTATION

Seit 1999 ist die psychologische Abteilung des Albert-Sabin-Kinderkrankenhauses (HIAS) ein Lehr- und Lernzentrum für Aktivitäten, die eine beaufsichtigte klinische und stationäre Versorgung beinhalten. Die meisten Praktikanten sind Studenten der obligatorischen Berufsausbildung in Psychologie von öffentlichen und privaten Hochschuleinrichtungen.

Mit der Verabschiedung des neuen Praktikumsgesetzes im Jahr 2008 entstand ein neues Szenario für die Organisation von Lehrplanpraktika. Die Gesundheitsbehörde des Bundesstaates Ceará (SESA) legte neue Regeln und ein Flussdiagramm für die Vermittlung von Praktikanten fest und definierte Quoten für die Verteilung der freien Stellen im staatlichen Bildungsnetz; sie hob die Entscheidungsautonomie der Krankenhausmanager auf und schaffte das lokale Auswahlverfahren ab. Infolgedessen begannen die Studierenden von den Hochschuleinrichtungen nach curricularen Kriterien ausgewählt zu werden und sich zu unterschiedlichen Zeiten bei der Dienststelle vorzustellen, was eine große Herausforderung für eine homogene Vermittlung und die Gewährleistung eines regelmäßigen Ausbildungsprozesses darstellte.

Angesichts der mangelnden Homogenität und Kontinuität des Prozesses der Aufnahme von Psychologiestudenten in den Bereich des Lehrplanpraktikums ergab sich die Notwendigkeit, die spezifischen Regeln dieses Praktikums in Übereinstimmung mit denen der SESA zu systematisieren. In Anbetracht der gegenwärtigen Situation ist die Ausarbeitung von Standardarbeitsanweisungen (SOPs) vorgesehen, um die Phasen der Aufnahme der Studierenden in das Praktikumsprogramm von der Anfrage der Hochschuleinrichtung bis zum Ende des curricularen Praktikums sowie die Maßnahmen der Psychologieabteilung des HIAS für die Verwaltung der Praktika für Hochschulabsolventen zu klären.

Auf der Grundlage dieses Projekts wird das betreffende Krankenhaus den Hochschulen Regeln für die Bereitstellung freier Stellen, die Zulassung, die Überwachung und den Abschluss des Praktikums im Rahmen des Lehr- und Lernprozesses in jedem akademischen Semester zur Verfügung stellen. Zu diesem Zweck wurden vorrangig die Potenziale und Schwächen des HIAS als Praktikumsbereich definiert sowie SOPs für die Vermittlung von Psychologiestudenten erstellt und umgesetzt. Auf diese Weise wird das hier vorgestellte Projekt eine Perspektive für die Diskussion über das organisierte und geplante Praktikum der Studierenden im Praxisfeld bieten und zu einer besseren Qualität der Ausbildung beitragen.

Kapitel 1

Dieses Anwendungsprojekt, das von der Affinity Group C (GA C) entwickelt wurde, ist speziell in den Bereich der Gesundheitserziehung eingebettet. Die Treffen der GA C dienten als Grundlage für die Diskussion der Problemsituationen, die systematisch im GROVE-Arbeitsblatt bearbeitet wurden, in dem die Problematisierung und anschließend die Auswahl des Problems angesprochen wurde (ANLAGE A).

Die Idee für das Projekt entstand aus dem Mangel an Homogenität und Kontinuität im Prozess der Vermittlung von Psychologiestudenten in den Bereich der curricularen Praktika in der Tertiärversorgung. Ziel ist es, die Praktika von Psychologiestudenten in einem Tertiärkrankenhaus in der Stadt Fortaleza, dem Albert-Sabin-Kinderkrankenhaus (HIAS), zu standardisieren. Daher ist eine Strategie zur Entwicklung von Standardarbeitsanweisungen (SOPs) erforderlich, die die einzelnen Phasen des studentischen Prozesses im Praktikumsbereich von der Anfrage der Hochschuleinrichtung bis zum Ende des Lehrplanpraktikums verdeutlichen.

Auf der Grundlage dieses Projekts wird das betreffende Krankenhaus den Hochschuleinrichtungen Regeln für die Bereitstellung freier Stellen zur Verfügung stellen, einschließlich des Auswahlverfahrens, der Zulassung, der Überwachung und des Abschlusses des Praktikums im Lehr- und Lernbereich in jedem akademischen Semester. Darüber hinaus wird die Definition von Kriterien das Verfahren fair, unparteiisch und transparent machen.

Curriculare Praktika sind ihrem Wesen nach eine Pflichtaktivität, die durch die Nationalen Curricularen Richtlinien (DCN) in Übereinstimmung mit den gesetzlichen Normen festgelegt ist. Es besteht aus einem Aufenthalt in einer Organisation, die bereit ist, den Studenten für einen vorher festgelegten Zeitraum aufzunehmen, in dem der Praktikant eine Reihe von Aktivitäten ausführt, die für die Entwicklung seiner Berufserfahrung als relevant angesehen werden und die auch der aufnehmenden Organisation zugute kommen. Es ist eine Zeit des Lernens, in der der Student durch angeleitete Arbeit mit der Realität des beruflichen Tätigkeitsfeldes in Kontakt kommt.

Konkret beinhaltet das Praktikum, dass der Praktikant in die allgemeinen Aktivitäten der gewährenden Organisation integriert wird, Aufgaben in verschiedenen Funktionsbereichen ausführt, in einen spezifischen Bereich integriert wird oder eine einzigartige Aktivität von anerkanntem Interesse für die Aufnahmeorganisation entwickelt. Kurz gesagt, die Rolle des curricularen Praktikums besteht darin, die Studenten zu einer Interaktion zwischen "Wissen" und "Tun" zu ermutigen.

Das hier vorgestellte Anwendungsprojekt wird in einem staatlichen tertiären Kinderkrankenhaus, HIAS, entwickelt. Das Krankenhaus verfügt über etwa 330 Betten und bietet eine Versorgung in 22 medizinischen Fachbereichen, einschließlich klinischer und chirurgischer Notfälle, hochkomplexer Verfahren in der Onkologie, Neurochirurgie, Herzchirurgie und kraniofazialen Chirurgie sowie Intensivstationen und Neugeborenenstationen für mittlere und hohe Risiken. Das HIAS verfügt außerdem über ein interdisziplinäres Team aus Krankenschwestern, Psychologen, Physiotherapeuten, Ernährungsberatern, Zahnärzten, Logopäden, Ergotherapeuten, Sozialarbeitern und Apothekern.

Neben der Betreuung von Kindern und Jugendlichen führt das HIAS auch Lehr- und Forschungstätigkeiten durch und wurde 2006 von den Ministerien für Bildung und Gesundheit als Lehrkrankenhaus zertifiziert. Im Organisationsprozess der Einrichtung ist die Entwicklung von Standardarbeitsanweisungen eine Maßnahme, die von der Leitung unterstützt und vom Qualitätsbüro begleitet wird. So gesehen begann das akademische Praktikum im Fachbereich Psychologie im Jahr 1999 ohne spezifische Vorschriften des Gesundheitsministeriums des Bundesstaates Ceará (SESA). So verwaltete der Fachbereich Psychologie selbst das Praktikum zusammen mit dem HIAS-Studienzentrum.

Das akademische Praktikum begann im Jahr 1999. Damals wurden die Praktika durch das Gesetz Nr. 6.494 vom 7. Dezember 1977 (BRASIL, 1977) geregelt, und es gab keine spezifische Regelung durch SESA/Ceará. Daher regelte das HIAS-Studienzentrum die Vereinbarungen mit den Hochschulen.

Um die Studenten an Bord zu holen, wurde jedes Semester ein Kurs für Psychologiestudenten und Fachleute mit dem Titel *Psychologische Hilfe für krebskranke Kinder* (ANHANG A) angeboten, auf dessen Grundlage interessierte Studenten ausgewählt wurden, um ihr Praktikum zu beginnen. Zwischen 2000 und 2004 wurden 10 Kurse und 10 Auswahlverfahren nach der gleichen Methodik mit geringfügigen Abweichungen durchgeführt. Zwischen 2004 und 2007 wurde der Kurs aufgrund von institutionellen Problemen ausgesetzt. Die Zulassung erfolgte nun über ein Auswahlverfahren mit einem schriftlichen Test und einem Gespräch. Die oben beschriebene Überwachung und Kontrolle wurde beibehalten.

Mit der Verabschiedung des neuen Praktikumsgesetzes (2008) wurde ein neues Szenario für die Organisation von Praktika geschaffen. Das Gesundheitsministerium des Bundesstaates Ceará (SESA) erließ die Verordnung 747/08, die die Lehr- und Lernpraktiken in den staatlichen Netzwerkeinheiten mit den folgenden Bestimmungen wirksam machte (CEARÁ, 2008).

Die Auswirkungen der neuen Praktikumsregelung auf die Abteilung Psychologie, wie sie in der empirischen Referenz dargelegt wurden, stellten eine große Herausforderung für die homogene Integration und die Gewährleistung eines regulären Ausbildungsprozesses dar.

Angesichts dieses Szenarios wurde versucht, das Vermittlungssystem zu regulieren, aber es hat mehrere Änderungen und Variationen erfahren, die später in der empirischen Referenz im Detail beschrieben werden. Einige Ansätze wurden ausprobiert, haben sich aber nicht durchgesetzt, wie z. B.: ein Empfang außerhalb des HIAS, bei dem Lehrer und Betreuer anwesend sind, und Treffen während des Semesters zur Überwachung der Ausbildung.

Darüber hinaus gibt es Maßnahmen, die als notwendig und wichtig erachtet werden, aber nicht durchgeführt werden: individuelle Beurteilung, ob summativ oder formativ; ein Identifizierungs- und Überwachungsformular für jeden Praktikanten; die Erfassung des schriftlichen Interventionsplans und des Praktikumsberichts am Ende des Semesters ist fakultativ; Verfahren und Leitlinien für psychologische Aktivitäten nach Krankenhaussektor (ANHANG B).

In Anbetracht der obigen Ausführungen wird davon ausgegangen, dass das HIAS als Lehrkrankenhaus neben der Krankenversorgung und der Forschung in seinem Wesen bzw. seiner Mission einen ausbildenden Charakter im Gesundheitsbereich hat, der sich auf die curriculare Ausbildung von Psychologiestudenten bezieht. Bernardes (2012) hebt das Tempo des Dialogs und der Debatte über die

Ausbildung dieser Studenten hervor, obwohl viele Studiengänge ein hohes Tempo bei der Durchführung, dem Abschluss der Umsetzung oder der Bewertung ihrer Lehrpläne vorlegen, wie es im neuen DCN festgelegt ist, das 2004 vom Bildungsministerium genehmigt wurde (BRASIL, 2004).

In Anbetracht der physischen, personellen und organisatorischen Grenzen des HIAS und der Notwendigkeit einer qualitativ hochwertigen Versorgung ist die Zahl der Praktikanten im Krankenhaus begrenzt, wobei die Quoten von der SESA festgelegt werden. Auf diese Weise wird das hier vorgestellte Projekt eine Perspektive für die Diskussion über den organisierten und geplanten Einsatz von Studenten in der Praxis bieten und zu einem qualitativ besseren Ausbildungsprozess beitragen.

Zu diesem Zweck wurden vorrangig das Potenzial und die Schwächen des HIAS als Praktikumsort ermittelt und SOPs für die Vermittlung von Psychologiestudenten erstellt und umgesetzt.

Die Idee für das Anwendungsprojekt wurde durch die Identifizierung von Aspekten gefestigt, die seine Relevanz untermauern, nämlich: Unvereinbarkeit von Angebot und Nachfrage; keine Vorhersage der Zahl der Studierenden pro Semester; die Quoten werden von der SESA festgelegt, die nicht in den Ausbildungsalltag des Krankenhauses eingebunden ist; die für die Analyse der Anfragen der Hochschuleinrichtungen zuständige Abteilung verfügt über keinen einzigen Zeitraum für die Analyse der Durchführbarkeit des Praktikums und des Auswahlverfahrens; es gibt keine Kriterien für die Bewertung der Anfragen von Hochschuleinrichtungen; die psychologische Abteilung ist sich des Beitrags der Hochschuleinrichtungen zum Dienst nicht bewusst; es gibt kein Protokoll für die Ausrichtung, Überwachung, Entwicklung und den Abschluss des Praktikums. Dieses Szenario hat Auswirkungen auf den gesamten Prozess des Praktikums, von der Analyse der Anfragen bis zur Entwicklung des Praktikums selbst.

In Anbetracht der obigen Ausführungen wird deutlich, dass die vorgestellte Situationsdiagnose des Praktikums in der Psychologie ein Defizit in der Systematisierung des Prozesses der Eingliederung von Psychologiestudenten in das Diplom-Praktikum impliziert. Das Bewerbungsprojekt ist daher wichtig für den gesamten organisatorischen und pädagogischen Prozess des Dienstes.

Kapitel 2

2.1 Allgemeine Zielsetzung

- Systematisierung des Prozesses der Vermittlung von Psychologiestudenten in einem Tertiärkrankenhaus.

2.2 Spezifische Ziele

- Bewertung des derzeitigen systematisierten Prozesses und Bestimmung seiner Stärken und Schwächen;

- Ausarbeitung und Umsetzung von Standardarbeitsanweisungen für die Vermittlung von Psychologiestudenten in einem Krankenhaus der Tertiärstufe.

Kapitel 3

Historisch gesehen ist die Anerkennung der Psychologie als Gesundheitsberuf in Brasilien erst vor kurzem erfolgt. Der Beruf ist seit 51 Jahren reglementiert und hat viele seiner theoretischen Referenzen auf der Grundlage eines Ansatzes und folglich einer Ausbildung aufgebaut, die auf die individuelle klinische Praxis ausgerichtet ist. Im Vergleich zu anderen Berufen ist die Einbindung der Psychologie in das öffentliche Gesundheitswesen noch zaghaft.

Die 8ª Nationale Gesundheitskonferenz wurde 1986 abgehalten und war der wichtigste Moment in der Geschichte der brasilianischen Gesundheitsreform. Sie war ein Meilenstein intensiver politischer Arbeit, bei der eine Reihe wichtiger sektoraler politischer Führungspositionen für die politische Koordination zwischen Parteien, Gewerkschaftsorganisationen und der Bevölkerung sorgten.

Aus der brasilianischen Gesundheitsreform ging das SUS mit der Verfassung von 1988 hervor. Doch erst mit der Ausarbeitung und Verabschiedung der als "Organische Gesundheitsgesetze" (Gesetze Nr. 8.080 und 8.142) bekannten unterverfassungsrechtlichen Vorschriften wurden die allgemeinen Leitlinien und die Organisation des Systems festgelegt (CARVALHO, 2001).

Auf der Grundlage der organischen Gesundheitsgesetze wurden die Leitprinzipien des SUS festgelegt, wie z. B. der Grundsatz der Universalität, der die Gesundheit als ein Recht aller Menschen und als eine Pflicht der öffentlichen Hand versteht, Dienstleistungen und Maßnahmen anzubieten, die die Gesundheitsversorgung gewährleisten. Der Grundsatz der Ganzheitlichkeit besagt, dass sich die Gesundheitsfürsorge stets an den individuellen Bedürfnissen der Betroffenen orientieren muss, auch wenn diese nicht den Bedürfnissen der Mehrheit der Bevölkerung entsprechen, einschließlich der Gesundheitsfürsorge von der Förderung bis zur Rehabilitation, wobei der Schwerpunkt auf dem Einzelnen oder dem Kollektiv liegt. Der Grundsatz der Gleichheit bedeutet, dass trotz der in Brasilien bestehenden sozialen Ungleichheit gleiche Chancen für die Nutzung des einheitlichen Gesundheitssystems (SUS) bestehen müssen (BRASIL, 2000).

Auf der Grundlage dieser Gesundheitsreformbewegungen ist die Psychologie als Beruf im Prozess des Dialogs mit der öffentlichen Politik für die Ausbildung von Gesundheitsfachkräften, insbesondere mit den DCNs, die das Ergebnis der Gesundheitsreformbewegung sind, und auch mit den Konzepten von Gesundheit und Krankheit, die das Interesse an der Umgestaltung der Ausbildung von Gesundheitsfachkräften widerspiegeln, offensichtlich.

Das DCN entstand durch den Vorschlag einer Reform der Ausbildung von Gesundheitsfachkräften, wobei die ersten Studiengänge Medizin und Krankenpflege im Jahr 2001 waren und dann der Rest des Gesundheitsbereichs. Auf der Grundlage des DCN für den Gesundheitsbereich führte der Nationale Bildungsrat (CNE) über die Hochschulkammer mit Beschluss Nr. 8 vom 7. Mai 2004 das DCN für grundständige Studiengänge in Psychologie ein, das Kompetenzen festlegt, die als Wissen, Fähigkeiten und

Einstellungen konzipiert sind, die Interaktion und multiprofessionelles Handeln zum Wohle des Einzelnen und der Gemeinschaft ermöglichen und die Gesundheit für alle fördern. Die in der Stellungnahme des Ministeriums für Bildung und Kultur (MEC) dargelegten Kompetenzen beziehen sich auf: Gesundheitsversorgung, Entscheidungsfindung, Kommunikation, Verwaltung und Management sowie Weiterbildung (BRASIL, 2004).

Artikel 3 des DCN für Psychologiestudiengänge besagt, dass das zentrale Ziel des Psychologiestudiums darin besteht, Psychologen für die Berufspraxis, die Forschung und die Lehre in der Psychologie auszubilden, und dass es einen Abschluss gewährleisten muss, der auf einer Reihe von Prinzipien und Verpflichtungen beruht. Dazu gehören Punkt IV - kritisches Verständnis der sozialen, wirtschaftlichen, kulturellen und politischen Phänomene des Landes, das für die Ausübung der Staatsbürgerschaft und des Berufs von grundlegender Bedeutung ist - und Punkt V - Handeln in verschiedenen Kontexten, unter Berücksichtigung der sozialen Bedürfnisse und der Menschenrechte, mit dem Ziel, die Lebensqualität von Einzelpersonen, Gruppen, Organisationen und Gemeinschaften zu fördern (BRASIL, 2004).

Diese Grundsätze können nur dann vollständig und effektiv erworben werden, wenn die Studierenden in ein Praxisszenario eingebunden sind. Artikel 17 des DCN besagt, dass die akademischen Aktivitäten Elemente für den Erwerb der grundlegenden Kompetenzen, Fähigkeiten und Kenntnisse, die für die berufliche Praxis erforderlich sind, bereitstellen müssen (BRASIL, 2004). Daher sollten diese Aktivitäten den Auszubildenden auf systematische und schrittweise Weise näher an die berufliche Praxis heranführen, die den für den Absolventen vorgesehenen Kompetenzen entspricht.

Für die Ausbildung von Psychologielehrern werden in denselben Richtlinien die erforderlichen Mindestkriterien festgelegt, darunter das Arbeitspensum für die Ausbildung von Psychologielehrern, das mindestens 800 (achthundert) Stunden betragen sollte, zuzüglich des Arbeitspensums für den Psychologiekurs, der Folgendes umfasst: a) Spezifische Inhalte im Bereich Bildung: 500 (fünfhundert) Stunden; b) Betreutes Lehrplanpraktikum: 300 (dreihundert) Stunden (BRASIL, 2004).

Die Aktivitäten im Zusammenhang mit der Lehrerausbildung, die durch die Ergänzung des Psychologiestudiums erworben werden sollen, werden allen Studenten des Grundstudiums angeboten, die sich dafür oder dagegen entscheiden können. Studenten, die alle Anforderungen des ergänzenden Projekts zufriedenstellend erfüllen, erhalten eine Bescheinigung über ihren Psychologieabschluss.

In Bezug auf das Praktikum im Grundstudium besagt Artikel 19, dass die akademische Planung in Bezug auf die Arbeitsbelastung und die Studienpläne die Beteiligung des Studenten an Einzel- und Teamaktivitäten sicherstellen muss, die unter anderem integrative Praktiken zur Entwicklung von Fähigkeiten und Kompetenzen in Situationen unterschiedlicher Komplexität, die für eine effektive berufliche Praxis repräsentativ sind, in Form eines betreuten Praktikums umfassen (BRASIL, 2004).

Beaufsichtigte Praktika sind eine Reihe von Ausbildungsaktivitäten, die von Mitgliedern des Lehrpersonals der Ausbildungseinrichtung geplant und direkt beaufsichtigt werden und darauf abzielen, die Konsolidierung und Artikulierung der erworbenen Kompetenzen zu gewährleisten. Sie sollen sicherstellen, dass der Auszubildende mit Situationen, Kontexten und Institutionen in Berührung kommt, die es ihm ermöglichen, seine Kenntnisse, Fähigkeiten und Einstellungen in berufliche Handlungen umzusetzen.

Das beaufsichtigte Grundpraktikum umfasst die Entwicklung von Praktiken, die die im gemeinsamen Kern vorgesehenen Kompetenzen und Fertigkeiten integrieren. Absatz 2 des DCN besagt auch, dass jedes spezifische betreute Praktikum die Entwicklung von Praktiken beinhaltet, die die Kompetenzen, Fähigkeiten und Kenntnisse integrieren, die jeden vom Studienprojekt vorgeschlagenen Schwerpunkt definieren. In Übereinstimmung damit besagt Artikel 23, dass die Aktivitäten des betreuten Praktikums so dokumentiert werden müssen, dass die Entwicklung von Kompetenzen und Fertigkeiten gemäß den Standards der Institution bewertet werden kann (BRASIL, 2004).

Artikel 24 besagt auch, dass die Einrichtung Aktivitäten anerkennen kann, die von Studenten in anderen Einrichtungen durchgeführt wurden, solange sie zur Entwicklung der im Kursprojekt vorgesehenen Fähigkeiten und Kompetenzen beitragen. Darüber hinaus besagt § 3, dass grundlegende und spezifische Praktika mindestens 15 % (fünfzehn Prozent) des gesamten Arbeitspensums des Kurses ausmachen müssen (BRASIL, 2004).

Gemäß dem Gesetz über die Richtlinien und Grundlagen des nationalen Bildungswesens (LDBEM) wird das Szenario der Hochschulbildung unter anderem als ein Schwert zur Förderung des Wissens über aktuelle Probleme definiert, wobei der Schwerpunkt auf der Bereitstellung spezialisierter Dienstleistungen für die Bevölkerung liegt. Die Curricularen Leitlinien begrüßen die Bedeutung der Erfüllung sozialer Anforderungen, heben das SUS hervor und fordern die Bildungseinrichtungen auf, ihre pädagogischen Praktiken zu ändern, um dem Lehrpersonal und den Studenten die soziale Realität nahe zu bringen und auf eine horizontale und intervenierende Aktion hinzuarbeiten.

Die qualifizierte Präsenz der Psychologie im SUS war das Thema der brasilianischen Vereinigung für Psychologiedidaktik (ABEP) für die Umsetzung von Initiativen, die darauf abzielen, Public Health in die Psychologieausbildung in Brasilien aufzunehmen. Im Jahr 2006 wurden mit finanzieller Unterstützung der Panamerikanischen Gesundheitsorganisation (PAHO) und in Zusammenarbeit mit dem Bundesrat für Psychologie (CFP) 37 regionale Workshops und ein nationaler Workshop abgehalten, die zu systematisierten Vorschlägen für die Festlegung der neuen pädagogischen Lehrpläne für Psychologiekurse führten (SPINK, 2007).

Nach Paulo Freire setzt der Lehr- und Lernprozess den Respekt vor dem kulturellen Hintergrund der Schüler sowie vor ihrem in der Praxis der Gemeinschaft erworbenen Wissen voraus. Aktive Methoden beruhen auf einem wichtigen theoretischen Prinzip: der Autonomie. Daher muss eine zeitgemäße Bildung die Fähigkeit des Schülers voraussetzen, seinen Lernprozess selbst zu steuern oder zu verwalten. Der Unterricht setzt die Autonomie und die Würde jedes Einzelnen voraus; er ist die Grundlage für eine Bildung, die das Individuum als ein Wesen berücksichtigt, das seine eigene Geschichte konstruiert (FREIRE, 1983).

In der Tat können wir durch den Lehr-Lern-Prozess Wissen erzeugen. Die universitäre Beratung macht Wissen zu einem Werkzeug im pädagogischen Prozess und trägt sowohl zur Ausbildung des Lernenden als auch zur Integration des Prozesses Lehre-Dienstleistung-Gemeinschaft bei. In diesem Prozess besteht das betreute Praktikum, das ein grundlegender Moment in der Ausbildung des Auszubildenden ist, aus Theorie und Praxis, wobei ständig nach der Realität gesucht wird, um die Arbeit in der Ausbildung von Erziehern zu entwickeln. Unter diesem Gesichtspunkt sollte das betreute Praktikum den Praktikanten zu verschiedenen Praktiken und verschiedenen Formen der Berufsausübung führen. Da die Praktika einem traditionellen Zyklus folgen, der aus Beobachtung, Betreuung und Teilnahme besteht, werden sie alle von der für die Lehrpraxis/ das betreute Praktikum verantwortlichen Lehrkraft überwacht und betreut (MARCHIORI; MELO; MELO, 2011).

Gemäß dem Praktikumsgesetz Nr. 11.788 vom 25. September 2008, Art. 1: "Das Praktikum ist ein beaufsichtigter schulischer Bildungsakt, der sich in der Arbeitsumgebung entwickelt und darauf abzielt, Studenten, die eine reguläre Ausbildung an höheren Bildungseinrichtungen absolvieren, auf eine produktive Arbeit vorzubereiten [...]. § Absatz 2 des Praktikums zielt darauf ab, die für die berufliche Tätigkeit erforderlichen Fähigkeiten zu erlernen und den Lehrplan zu kontextualisieren, mit dem Ziel, den Studenten für das Leben als Bürger und für die Arbeit zu entwickeln" (BRASIL, 2008).

Es ist wichtig, darauf hinzuweisen, dass der Berufskodex für Psychologen in Artikel 17 den Ausbildungsprozess hervorhebt: "Es liegt in der Verantwortung der lehrenden Psychologen oder Supervisoren, die Studenten über die in diesem Kodex enthaltenen Grundsätze und Normen aufzuklären, sie zu informieren, anzuleiten und von ihnen die Einhaltung dieser Grundsätze und Normen zu verlangen" (GFP, 2005).

Neben dem Ethikkodex verweist der Föderale Rat für Psychologie (CFP) auf die Ausbildungspraktiken im Zusammenhang mit Praktika und bekräftigt die Bedeutung des Engagements in der Berufsausbildung von Psychologen in Entschließungen, die eine verantwortungsvolle Arbeit, die Wertschätzung der Autorenschaft von Praktikanten und die Einhaltung technischer und ethischer Aspekte fördern. Im Folgenden werden einige Aspekte des Gesetzes über die Ausbildung gemäß der GFP-Entschließung 001/2009 aufgeführt: Art. 3.

> Bei psychologischen Diensten, die im Rahmen von Schulgottesdiensten und Praktikumslagern erbracht werden, muss das Protokoll die Identität und Unterschrift des technischen Leiters/Betreuers, der für den erbrachten Dienst verantwortlich ist, sowie die des Praktikanten enthalten; einziger Absatz. Der technische Betreuer muss den Praktikanten auffordern, alle Aktivitäten und Ereignisse aufzuzeichnen, die mit den Nutzern des erbrachten psychologischen Dienstes stattfinden (GFP, 2009).

Schließlich wird davon ausgegangen, dass das Lernen notwendigerweise eine Art und Weise ist, Wissen zu praktizieren, sich seine spezifischen Prozesse anzueignen. Das Wesentliche am Wissen ist nicht, dass es ein Produkt ist, sondern dass es ein Prozess ist. In der Tat ist Wissen das Ergebnis einer historischen und kollektiven Konstruktion. Für Paulo Freire,

> "...das Lesen der Welt geht dem Lesen des Wortes voraus, und das Lesen des Wortes impliziert, dass man die Welt weiter liest...diese Bewegung von der Welt zum Wort und vom Wort zur Welt ist immer präsent. Eine Bewegung, in der das gesprochene Wort aus der Welt selbst durch das Lesen, das wir von ihr machen, fließt." (FREIRE, 1982, S. 22).

.2 Kontextbezug: Albert Sabin Kinderkrankenhaus und der Psychologische Dienst

Das HIAS ist ein Organ der staatlichen Verwaltung - Exekutive, das dem Gesundheitssekretariat des Bundesstaates Ceará unterstellt ist. Es befindet sich in der Rua Tertuliano Sales, Nr. 544, im Stadtteil Vila União in Fortaleza-Ceará und besteht aus einem Hauptgebäude und Nebengebäuden wie dem Kinderkrebszentrum, dem Krebsreferenz- und Diagnosezentrum, der Humanmilchbank und dem Bereich für die pädagogische Betreuung.

Das Gebäude umfasst Ombudsmann, Ambulanzräume, Zahnmedizin, Psychologie, Logopädie, Sozialarbeit, Physiotherapie, SESMT, Forschungsethikkommission; Krankenhausapotheke; Material- und

Sterilisationszentrum; Chirurgisches Zentrum, Labordienste (Routine- und Spezialdiagnostik und ergänzende Tests), Bildgebung (Elektrokardiogramm, Elektroenzephalogramm, Tomographie, Röntgen, Verdauungsendoskopie, Bronchoskopie, Trancranialdoppler), Kantinen, Immunologiereferenzzentrum, Qualitätsbüro, Abfallwirtschaft, CCIH, Kinderstadt und Verwaltungsbereich: SAME, Kosten, Vermögen, medizinische Buchhaltung, Dienst für menschliche Entwicklung, allgemeine Verwaltung, klinische, technische und finanzielle Verwaltung.

Nach den Angaben in der gedruckten institutionellen Agenda für 2013[1] wurde das Krankenhaus am 26. Dezember 1952 als Kinderkrankenhaus von Fortaleza mit dem Ziel eingeweiht, kranke Kinder, hauptsächlich aus dem Landesinneren, in drei Abteilungen unterzubringen. Es galt als bahnbrechende Initiative, da es bis dahin in Ceará keine Einrichtung gab, die sich ausschließlich der Pflege von Kindern widmete. Am 17. Juli 1977, anlässlich des Besuchs von Dr. Sabin im Krankenhaus, beschloss die Landesregierung, das Krankenhaus in Albert-Sabin-Kinderkrankenhaus umzubenennen.

Zu Beginn seiner Tätigkeit bot das Krankenhaus nur die allgemeine Pädiatrie, die Betreuung von Müttern und Kindern sowie die Neurologie an. Heute, mit einem tertiären Versorgungsniveau in der Pädiatrie, umfasst seine Tätigkeit auch klinische und chirurgische Notfälle,

[1] Das Albert-Sabin-Kinderkrankenhaus (HIAS) gibt jedes Jahr ein gedrucktes Tagebuch mit seiner Geschichte heraus. Die Informationen zu Beginn dieses Absatzes sind diesem Tagebuch entnommen.

hochkomplexe Eingriffe in der Onkologie, Neurochirurgie, Herzchirurgie und kraniofazialen Chirurgie sowie Intensivstationen und Neugeborenenstationen für mittlere und hohe Risiken. Mit 22 medizinischen Fachrichtungen und vierzehn technischen Diagnose- und Therapiediensten verfügt das HIAS über rund 330 Betten, darunter 122 klinische Betten, 69 chirurgische Betten, 42 Betten für die Intensivpflege, 22 tagesklinische Betten, 60 Betten für die häusliche Pflege und 8 Betten für chronisch Kranke, um nur einige zu nennen.

Zur Durchführung seiner Aktivitäten verfügt HIAS über die Technologie und die Ausrüstung, um seine Abschluss- und Unterstützungsprozesse schneller und sicherer zu machen. Die wichtigsten Produkte der Klinik sind: stationäre Pflege, ambulante Pflege, häusliche Pflege und Unterstützungsdienste.

Im Bereich der Lehre und Forschung fördert es die ärztliche Weiterbildung, Praktika in Medizin und Pflege, curriculare Praktika in Pflege, Physiotherapie, Psychologie, Sozialarbeit, Zahnmedizin und Pharmazie, organisiert technische und wissenschaftliche Veranstaltungen und ist ein Forschungsfeld für verschiedene Projekte, die von einer eigenen Ethikkommission genehmigt wurden.

In der strategischen Planung wurde der Auftrag wie folgt definiert: "Sichere und humanisierte Tertiärversorgung von Kindern und Jugendlichen als Lehr- und Forschungseinrichtung". Die Vision für die Zukunft ist internationale pädiatrische Exzellenz in der quartären Versorgung, Lehre und Forschung, mit sozialer und ökologischer Verantwortung, Ethik, Humanisierung, Engagement, Partizipation, professioneller Wertschätzung, Effizienz und Glaubwürdigkeit als Werten.

Im Jahr 2006 wurde es von den Ministerien für Bildung und Gesundheit durch die interministerielle Verordnung Nr. 337 vom 14. Februar als Lehrkrankenhaus anerkannt und am 12. Dezember desselben Jahres durch die Verordnung Nr. 3145 unter Vertrag genommen, wodurch seine Kompetenzen erweitert wurden. HIAS ist als nationales Referenzzentrum für die Förderung der Gesundheit von Kindern und Jugendlichen anerkannt und strebt nach Qualität und kontinuierlicher Verbesserung der Dienstleistungen, die es Patienten aus ganz Ceará und den Nachbarstaaten anbietet.

Im Bereich Lehre, Forschung und Erweiterung wird das HIAS vom Zentrum für Studien und Forschung koordiniert und umfasst Schul-, Studien- und Postgraduiertenprojekte sowie Erweiterung, Weiterbildung und Forschung (ANHANG C). Die Aktivitäten des HIAS in diesen drei Bereichen werden im Folgenden auf der Grundlage einer von Borges (2006) und HIAS (2012) durchgeführten Erhebung näher beschrieben.

Das Schulprojekt mit dem Namen Novo Futuro (Neue Zukunft) wurde im Jahr 2000 in Zusammenarbeit mit dem Futura-Kanal und mit Unterstützung der staatlichen Bildungs- und Verwaltungsministerien ins Leben gerufen. Es bietet den Mitarbeitern die Möglichkeit, ihre Ausbildung in den Räumlichkeiten des HIAS und während ihrer Arbeitszeit zu absolvieren. Derzeit haben 82 Mitarbeiter die Grundschule abgeschlossen, 121 die Sekundarschule, sechs haben eine Hochschulausbildung begonnen und sechs haben bereits einen Hochschulkurs abgeschlossen.

Der Graduiertenbereich umfasst die medizinischen und pflegerischen Praktika, die curricularen Praktika (Medizin, Pflege, Physiotherapie, Sozialarbeit, Zahnmedizin, Krankenhausapotheke, Bromatologie und Psychologie - alle im pädiatrischen Bereich) und das HIAS-Stipendienprogramm.

Das Postgraduiertenprogramm *besteht* seit 36 Jahren und hat bis 2012 463 Assistenzärzte in den Bereichen allgemeine Pädiatrie, Kinderchirurgie, Kinderkrebsheilkunde, Orthopädie und Traumatologie, Hämatologie-Chemotherapie, Onkohämatologie, Gastroenterologie, Kardiologie, Nephrologie, Intensivmedizin, Neonatologie und Pneumologie ausgebildet. Neben dem medizinischen Facharztprogramm ist das HIAS auch Ausbildungsstätte für das multiprofessionelle Facharztprogramm des Universitätskrankenhauses Walter Cantídio und des staatlichen Gesundheitsamtes von Ceará.

Der Bereich Erweiterung ist für die Betreuung von Projekten zuständig, die den Anforderungen des Krankenhauspersonals, des technischen Personals, der Nutzer und der Gemeinschaft entsprechen. Die folgenden Projekte wurden entwickelt: Fearless Surgery, ABC Mais Saúde, Children's City, New Future, Sound Therapies, Toy Library, Love, Spelling HIAS, Máo Amiga, Choir.

Der ständige Bildungsausschuss führt Aktivitäten im Rahmen des Gastprofessorenprojekts, des Hochschulnetzes für Telemedizin und der Fachkurse in Partnerschaft mit der Staatlichen Universität von Ceará durch.

Im Bereich der Forschung verfügt das HIAS über ein Forschungs- und Entwicklungszentrum, das sich aus einem multidisziplinären Gremium und einem eigenen Forschungsethikausschuss zusammensetzt. Das Zentrum bietet Workshops zur Projektentwicklung, zum Management von Datenbankanalysen und zum Verfassen von wissenschaftlichen Artikeln an. Die Forschungsschwerpunkte, die derzeit am HIAS entwickelt werden, sind: Ernährung und Stoffwechsel bei Kindern und Jugendlichen; Neonatologie; Infektions- und Parasitenerkrankungen; pädiatrische Nephrologie; Onkologie, Hämatologie und Hämotherapie; akute und chronische Lungenentzündung bei Kindern; Kinderchirurgie; rheumatologische und andere Autoimmunerkrankungen in der Pädiatrie; genetische Erkrankungen bei Kindern und Jugendlichen; Physiotherapie der Atemwege und der Motorik; endokrine Erkrankungen in der Pädiatrie; Beschäftigungstherapie in der Pädiatrie.

Im pädagogischen Kontext ist die psychologische Abteilung nicht formell Teil der Organisationsstruktur, arbeitet aber effektiv mit der Einrichtung zusammen. Die geringe Anzahl von Fachkräften schränkt die psychologische Abteilung ein, die organisiert und mit spezifischen Kliniken verbunden ist und andere HIAS-Stationen unterstützt.[2]

Der Schwerpunkt der Psychologie im Krankenhaus liegt im Bereich der Onkohämatologie, die derzeit im Kinderkrebszentrum (CPC) angesiedelt ist. Die Festlegung des Ministerialerlasses GM/MS Nr. 3535/1998, ersetzt durch den GM/MS-Erlass Nr. 741/2005, dass sich die onkologischen Abteilungen mit hoher Komplexität an die nationale Humanisierungspolitik halten und eine multidisziplinäre Unterstützung bieten sollten, mit technischen Hilfstätigkeiten, die ambulant und stationär, routinemäßig und in Notfällen in verschiedenen Bereichen, einschließlich der klinischen Psychologie, durchgeführt werden (BRASIL, 2005), führte zur Einrichtung der Psychologieabteilung in der Onkologieabteilung im Jahr 1998.

Zu den anderen Bereichen gehört das Programm für die Gesundheit von Jugendlichen (PROSAD), das der Pionierbereich für die Einbeziehung war und derzeit umstrukturiert wird. Die stationären Abteilungen, die nicht über ein exklusives Psychologenteam verfügen, werden durch ein System von Anträgen auf Bewertung und/oder psychologische Betreuung bedient, die aufgrund der hohen Nachfrage seitens der Einrichtung nur für die kritischsten Fälle erteilt werden. Dieses Angebot liegt weit unter der bestehenden unterdrückten Nachfrage und ist das Ziel von Maßnahmen zugunsten der Versorgung mit Psychologiefachkräften.

Das Comprehensive Cleft Care Centre (NAIF) und das Orientierungs- und Stimulationszentrum für Kleinkinder (NOEL) sind mit Psychologen besetzt, ebenso wie die Spezialambulanz.

Es werden institutionelle und formalisierte Partnerschaften mit Pathologieverbänden aufgebaut, um die Hilfe für Patienten zu erweitern. Die Arbeit der Psychologie wird in der nachstehenden Tabelle beschrieben:

Diagramm 1 - HIAS-Arbeitseinheiten, nach direkten Maßnahmen, Anzahl der Fachkräfte, Maßnahmen durch Partnerschaften. Fortaleza, 2013

Betriebseinheiten	Direkte Aktion	Anzahl der Fachleute	Handeln durch Partnerschaften	Anzahl der Fachleute
	Prog rammiert Jugendliche/Krankenschwestern HIAS.	01	-	-

Pädiatrisches Krebszentrum (CPC).	02	Peter's Association Pan, durch soziale Programme.	01
Beratungszentrum Stimulation von Säuglingen (NOEL) und Integriertes Cleft-Pflegezentrum (NAIF):	02, von denen einer ausschließlich als Ausbilder tätig ist.	-	-
In der Abteilung für Spezialpatienten (UPE),	-	Brasilianische Vereinigung für Amyotrophie Wirbelsäule.	01
Abteilung Rheumatologie	-	Selbsthilfegruppe für Rheumapatienten in Ceará	01
GESAMT			08

Die Arbeit der Psychologie im Krankenhauskontext wird durch das Fachgebiet der Krankenhauspsychologie anerkannt, in Übereinstimmung mit dem GFP-Beschluss Nr. 013/2007, der die Zuständigkeiten für diesen Arbeitsbereich definiert:

Arbeitet in Gesundheitseinrichtungen und beteiligt sich an der Erbringung von Gesundheitsdienstleistungen der Sekundär- oder Tertiärstufe [...] Betreut Patienten, Familienangehörige und/oder Verantwortliche für den Patienten; Mitglieder der Gemeinschaft innerhalb ihres Tätigkeitsbereichs; Mitglieder des multiprofessionellen Teams und möglicherweise Verwaltungspersonal, mit Blick auf das körperliche und emotionale Wohlbefinden des Patienten. Sie bietet und entwickelt Aktivitäten auf verschiedenen Behandlungsebenen, wobei ihre Hauptaufgabe darin besteht, die psychologischen Interaktionen von Patienten, die sich medizinischen Verfahren unterziehen oder unterziehen werden, zu bewerten und zu überwachen, hauptsächlich im Hinblick auf die Förderung und/oder Wiederherstellung der körperlichen und geistigen Gesundheit. Sie fördert Interventionen, die auf die Beziehungen zwischen Arzt und Patient, Patient und Familie sowie Patient und Patientin abzielen, und zwar im Zusammenhang mit dem Prozess der Erkrankung, dem Krankenhausaufenthalt und den emotionalen Auswirkungen, die sich aus diesem Prozess ergeben. Die Unterstützung kann sich an Patienten richten, die sich einer klinischen oder chirurgischen Behandlung in den verschiedenen medizinischen Fachbereichen unterziehen. Je nach Bedarf und Ausbildung des jeweiligen Fachpersonals können verschiedene Arten von Interventionen entwickelt werden: psychotherapeutische Betreuung, psychotherapeutische Gruppen, Psychoprophylaxe-Gruppen, ambulante Betreuung und Betreuung auf der Intensivstation, Notfallbetreuung, Stationen im Allgemeinen, Psychomotorik im Krankenhauskontext, diagnostische Bewertung, Psychodiagnose, Beratung und Konsultation. Bei der Arbeit mit einem multidisziplinären Team, vorzugsweise einem interdisziplinären Team, nehmen sie an Entscheidungen über das Verhalten des Teams teil, um die Unterstützung und Sicherheit des Patienten und der Familie zu fördern, indem sie Informationen zu ihrem Fachgebiet bereitstellen, sowie in Form einer Reflexionsgruppe, in der die Unterstützung und das Management auf mögliche operative und/oder subjektive Schwierigkeiten der Teammitglieder ausgerichtet sind (GFP, 2007, S. 21-22).

Die Arbeit der Psychologie im Lehr-/Lernbereich wird durch rechtliche Rahmenbedingungen wie das Gesetz Nr. 4119/1962 aus dem Jahr 1962 unterstützt, in dem es heißt, dass "Praktika und praktische Beobachtungen der Studenten in anderen lokalen Einrichtungen nach dem Ermessen der Kursleiter durchgeführt werden können" (BRASIL, 1962, S. 3). Auf diese Weise wird die Modalität des außeruniversitären Praktikums aufrechterhalten, wobei die Krankenhäuser im Laufe der Jahre immer wieder als Einsatzorte dienen.

Darüber hinaus wird die Praxis mit Studenten im Krankenhauskontext durch den GFP-Beschluss Nr. 003/2007 geregelt, in dem die Verantwortlichkeiten für den ausbildenden Psychologen festgelegt sind:

> ...Unbeschadet des privaten Charakters der beruflichen Tätigkeit kann der Psychologe Aufgaben an Praktikanten als eine Form der Ausbildung delegieren [...] Der betreuende Psychologe muss beim Regionalrat der Gerichtsbarkeit, in der er seine Tätigkeit ausübt, eingetragen sein [...].Die Erteilung von Praktika erfolgt nur in Fällen, in denen der didaktische Charakter der vom Praktikanten auszuübenden Tätigkeit gekennzeichnet ist und unter Bedingungen, die eine Überwachung der Arbeit ermöglichen [...] Der verantwortliche Psychologe ist verpflichtet, die fachliche Ausbildung seines Praktikanten persönlich zu überprüfen, indem er ihn beaufsichtigt und direkt für die ordnungsgemäße Anwendung psychologischer Methoden und Techniken und die Einhaltung der Berufsethik verantwortlich ist (GFP, 2007, S. 19).

In der GFP-Entschließung Nr. 013/2007 wird definiert, dass Krankenhauspsychologen auch in Hochschuleinrichtungen und/oder Studien- und Forschungszentren tätig sind, mit dem Ziel, Fachkräfte in ihrem Kompetenzbereich zu verbessern oder zu spezialisieren oder die Ausbildung anderer Gesundheitsfachkräfte auf sekundärem oder höherem Niveau, einschließlich Postgraduiertenkurse, zu ergänzen (GFP, 2007).

Die Praxis der Psychologie im HIAS folgt auch dem Konsens und den Richtlinien der wissenschaftlichen Gesellschaften auf diesem Gebiet, darunter die Brasilianische Gesellschaft für Krankenhauspsychologie (SBPH), die Brasilianische Gesellschaft für Psychoonkologie (SBPO), die Psychologieabteilung der Brasilianischen Vereinigung für Intensivmedizin (AMIB) und die Brasilianische Vereinigung für kollektive Gesundheit (ABRASCO). Durch den Beitritt von Fachleuten und/oder die Teilnahme an wissenschaftlichen Veranstaltungen mit der Präsentation von Vorträgen werden die Handlungsempfehlungen aktualisiert und verbessert, zu denen die psychologische Beurteilung, kurze fokale Psychotherapien, operative Gruppen, Psychoprophylaxe, Humanisierung, Begrüßung und Palliativversorgung gehören.

Von den oben genannten Referaten sind das CPC und NOEL/NAIF die Bereiche des Psychologischen Dienstes, in denen Psychologiepraktika angeboten werden, wobei das CPC der Bereich mit den meisten Praktikumsplätzen ist.

3.3 Empirischer Bezug: Erfahrungen/Geschichte des onkologischen Dienstes am HIAS im Bereich der Lehre

Der Psychologische Dienst des HIAS ist ein Lehr- und Lernzentrum für Grundpraktika, Fachbesichtigungen, Hospitationen, Zwischenpraktika und Berufspraktika am Ende des Studiums, die unter Aufsicht in Kliniken und Krankenhäusern abgeleistet werden. Er besteht aus fünf Fachleuten aus der Einrichtung selbst, von denen drei als Betreuer fungieren.

Die Hauptzielgruppe sind Studenten, die an öffentlichen und privaten Hochschulen in

Psychologie-Studiengängen ein Pflichtpraktikum absolvieren, das seit 1999 angeboten wird. In jenem Jahr begann das akademische Praktikum im HIAS mit zwei UFC-Praktikanten im onkohämatologischen Dienst. Der Bereich der Psychologie erwies sich bald als sehr attraktiv für Studenten und Hochschulen, und der Onko-Hämatologische Dienst begann, etwa vier bis sechs Studenten pro Semester aufzunehmen.

Zu dieser Zeit wurden die Praktika durch das Gesetz Nr. 6.494 vom 7. Dezember 1977 (BRASIL, 1977) geregelt, und es gab keine spezifischen Vorschriften der SESA/Ceará. So regelte das HIAS-Studienzentrum Vereinbarungen mit der Bundesuniversität von Ceará (UFC) und der Universität von Fortaleza (UNIFOR), den beiden Hochschuleinrichtungen, die Psychologie-Studiengänge in Ceará anbieten, aber es gab ein vernünftiges Gleichgewicht zwischen Nachfrage und Angebot an Plätzen, und die Beziehung zwischen dem Psychologischen Dienst und den Hochschuleinrichtungen fand statt, um ein Praktikumsprogramm in Krankenhauspsychologie zu organisieren.

Um die Studenten mit ins Boot zu holen, wurde jedes Semester ein Kurs für Psychologiestudenten und Fachleute angeboten, der sich *"Psychologische Unterstützung für krebskranke Kinder"* nannte und zwischen 20 und 24 Stunden umfasste und von Fachleuten des pädiatrischen Onkologie-Teams sowie von Gastdozenten gehalten wurde.

Am letzten Tag des Kurses wurde die Anzahl der Studenten, die sich für das Praktikum interessierten, entsprechend der vom Fachbereich Psychologie festgelegten freien Stellen ausgewählt. Die Auswahl erfolgte durch ein *Rollenspiel*, bei dem eine Pflegesituation am Krankenbett eines Kindes und seiner Mutter dramatisiert wurde, sowie durch einen schriftlichen Test und ein Gruppeninterview.

Zwischen 2000 und 2004 fanden 10 Kurse und 10 Auswahlverfahren statt, die mit geringfügigen Abweichungen nach der gleichen Methodik durchgeführt wurden. Die Regeln für die Begrenzung der Praktikumsdauer wurden nicht ordnungsgemäß festgelegt.

Nachdem sie ausgewählt worden waren, begannen die Studenten noch in derselben Woche ihr Praktikum. Der erste Teil des Praktikums umfasste einen Prozess der Praxisbeobachtung, bei dem die Studenten die Psychologin des Dienstes in ihrer Routine begleiteten. Wöchentlich fand eine zweistündige Supervision des Praktikums statt, bei der die Fälle besprochen und mit den Techniken und Theorien der Psychologie in Beziehung gesetzt wurden.

Zwischen 2004 und 2007 wurde der Studiengang aufgrund institutioneller Probleme ausgesetzt. Die Aufnahme erfolgte dann über ein Auswahlverfahren mit einem schriftlichen Test und einem Gespräch. Diejenigen, die zugelassen wurden, begannen in einer regulären Woche, und es gab eine Einführungsschulung in Form von einmaligen Kursen. Es herrschte die oben beschriebene Überwachung und Betreuung.

Mit der Verabschiedung des neuen Praktikumsgesetzes (2008) wurde ein neues Szenario für die Organisation von Praktika geschaffen. Das Gesundheitsministerium des Bundesstaates Ceará (SESA) erließ die Verordnung 747/08, mit der die Lehr- und Lernpraktiken in den staatlichen Netzwerkeinheiten mit den folgenden Festlegungen wirksam gemacht wurden (CEARÁ, 2008):

1) Auf der Grundlage der Vereinbarung über das staatliche Bildungsnetz muss die Verteilung der Plätze im staatlichen Netz den Quoten von 50 Prozent für staatliche Bildungseinrichtungen, 35 Prozent für

Bundeseinrichtungen und 15 Prozent für private Einrichtungen entsprechen.

2) Die Hochschulen und technischen Bildungseinrichtungen haben zu Beginn jedes Semesters damit begonnen, ihren Bedarf anzumelden;

3) Bei der SESA werden die Anforderungen im Hinblick auf die formalen Aspekte der Vereinbarungen und die von den Gesundheitseinheiten definierte installierte Kapazität analysiert und dann zur endgültigen Bewertung an die angeforderten Einheiten des SESA-Netzes weitergeleitet.

4) Nach der Analyse durch das Gesundheitsreferat des Netzes wurden die Antworten an die SESA geschickt, um die Bildungseinrichtung zu informieren.

5) Erst nachdem die Bildungseinrichtung eine Antwort von SESA erhalten hatte, konnten Kontakte zwischen der Bildungseinrichtung und der Gesundheitsabteilung des SESA-Netzes geknüpft werden, auch um   eine Partnerschaft mit dem für die Überwachung der beantragten Unterrichtspraktiken verantwortlich.

Die neue Praktikumsordnung hatte folgende Auswirkungen auf den Fachbereich Psychologie: Das   Auswahlverfahren wurde abgeschafft; die Studierenden erhielten nun Sie begannen, sich mit unterschiedlichen Fristen für die Ankunft und Einschreibung der Studierenden zu befassen, was eine große Herausforderung für eine homogene Einschreibung und die Gewährleistung eines regelmäßigen Ausbildungsprozesses darstellte.

Seit 2010 nehmen die Studierenden an Erweiterungsprogrammen teil, und der Fachbereich Psychologie hat sich zu einem Praxisfeld für multiprofessionelle Facharztausbildungen entwickelt. Zu den regelmäßigen Bereichen der Lehrpraxis gehören die Onkologie, die Pflegezentren für Patienten mit Lippen-Kiefer-Gaumenspalten und pädiatrischen Syndromen der frühen Kindheit. Gelegentlich werden auch Praktika in den Abteilungen Kardiologie und Nephrologie angeboten.

Seit 1999 haben 138 Studenten Praktika am Fachbereich Psychologie absolviert:

Grafik 1 - Verteilung der Auszubildenden in der Psychologieabteilung des HIAS zwischen 1999 und 2013, Fortaleza, CE, 2013.

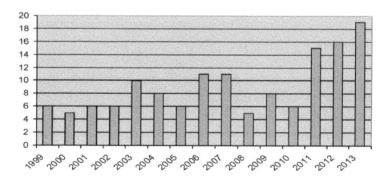

Bis 2013 kamen die Studenten von der Bundesuniversität von Ceará (UFC), der Universität von Fortaleza (UNIFOR), der Fakultät für Intensivtechnik (FATECI) und der Faculdades do Nordeste (FANOR).

Im Hinblick auf den Prozess der Ausbildung von Studierenden für Lehr-Lern-Praktiken in der Psychologie im Krankenhausbereich wurden derzeit 13 Kurse mit Lehrplaninhalten zur psychologischen Betreuung von hospitalisierten Kindern und Jugendlichen abgehalten. Als Strategie für die Sozialisierung von Praktikumserfahrungen wurden drei akademische Treffen zwischen den Semestern 2011.2 und 2012.2 abgehalten.

Angesichts dieses Szenarios wurde versucht, das System zur Eingliederung von Studenten zu regulieren, wobei es mehrere Änderungen und Variationen in der Methodik gab, was zu einem inhomogenen Programm führte, bei dem in vielen Fällen die Maßnahmen eingestellt wurden. Das System funktioniert derzeit auf der Grundlage der folgenden methodischen Strategie:

1) Etwa drei Monate vor Beginn eines jeden akademischen Semesters legt der Fachbereich Psychologie die Anzahl der freien Stellen für jedes untergeordnete Referat fest, die in einer Sitzung der vorlesenden Psychologen beschlossen wird;

2) Die Zahl der freien Plätze richtet sich nach der Erneuerung der Praktikumsplätze, die den Studenten der vorangegangenen Semester, die in diesem Bereich weiterarbeiten möchten, garantiert werden;

3) Die Zahl der Studienplätze wird dem Studienzentrum mitgeteilt, das sie an die SESA weiterleitet, entsprechend den Quoten für jede Art von Hochschuleinrichtung: Im Falle der Psychologie 50 Prozent für die Bundesuniversität von Ceará (UECE), 35 Prozent für die Bundesuniversität von Ceará (UFC) und 15 Prozent für private Einrichtungen;

4) Die Hochschuleinrichtungen übermitteln der SESA ihre Anträge über das einheitliche Protokollsystem spätestens 60 Tage vor Beginn des Semesters;

5) Nach Erhalt der Anfrage suchen die Präzeptoren des Psychologischen Dienstes aktiv nach den betreuenden Lehrern, um die Kontakte der Kandidaten für das Praktikum zu ermitteln;

6) Sie erhalten dann ein Formular (ANHANG D) mit ihrem akademischen Profil, damit die Betreuer Interventionsprojekte vorschlagen können, die mit diesem Profil übereinstimmen;

7) Zu Beginn des Semesters werden die Studierenden individuell oder von der Hochschuleinrichtung empfangen und vereinbaren innerhalb von etwa zwei Wochen ihre Praxistage und -zeiten in Übereinstimmung mit den gesetzlichen Anforderungen und den organisatorischen Gründen des Praktikums. Diese Phase umfasst auch eine Präsentation des Dienstes, Führungen und eine Beobachtung der Einrichtung im Rahmen eines Immersionsregimes, wobei u. a. auf das Umfeld, die Fachkräfte, die Nutzer, die Routinen, Notfallsituationen, Beziehungen, visuelle und zwischenmenschliche Kommunikation geachtet wird. Ein Skript der Aktivitäten (ANHANG B) wird zur Kenntnisnahme und Analyse zur Verfügung gestellt, eine grundlegende Bibliographie wird angegeben und es werden Ideen über das Interventionsprojekt ausgetauscht;

8) Nach dieser Phase findet der erste Teil des theoretisch-methodischen Orientierungsprozesses statt, der aus einer Gesprächsrunde über den akademischen Werdegang der Studierenden, ihre Studien und Richtungen sowie über ihre Erwartungen und ihre Wahrnehmung des Krankenhauses besteht. In Untergruppen analysieren sie den Aktivitätsleitfaden und berichten dann über ihre Eindrücke und

Fragen, die dann mit den Präzeptoren diskutiert werden, um eine neue Synthese des Verständnisses zu erreichen. Auch die ethischen Standards werden besprochen;

9) Die Interventionen werden nach der Beobachtungsphase schrittweise eingeführt, und die technische Überwachung findet jeden Freitag statt. Der Präzeptionsprozess ist jedoch kontinuierlich und findet vor oder nach den Eingriffen während der akademischen Praxisphasen statt, wenn ein Psychologe zur Verfügung steht, um die notwendige Anleitung zu geben;

10) Etwa einen Monat später wird ein 24-Stunden-Kurs über *psychologische Unterstützung für hospitalisierte Kinder und Jugendliche* angeboten (ANHANG A), so dass die Studenten zu diesem theoretischen Zeitpunkt mehr mit der Realität in Berührung kommen und ihre Zweifel besser erkennen;

11) Am Ende eines jeden Semesters findet eine akademische Abschlussveranstaltung statt, bei der die Studierenden ihre Erfahrungen in Form von wissenschaftlichen Arbeiten aufarbeiten und den Fachleuten in den Dienststellen, den Praxisbereichen und den Lehrbeauftragten vorstellen. Diese Veranstaltung beinhaltet auch einen Rückblick auf die Erfahrungen und eine Ehrung der Absolventen. Es ist eine Zeit des Abschlusses und des Abschieds, bei der die entstandenen emotionalen Bindungen noch einmal bekräftigt werden.

Im Allgemeinen entspricht der oben beschriebene Prozess den aktuellen Herausforderungen, aber es gibt einige "kritische Knotenpunkte", die zu einem Mangel an Homogenität und Konsolidierung der angewandten methodischen Schritte beitragen.

In Bezug auf Punkt 3 bedeutet die Festlegung von Quoten, dass es in den Kategorien der öffentlichen Hochschulen häufig freie Plätze gibt, die der Fachbereich Psychologie im Allgemeinen autonom auf private Hochschulen umverteilen kann, was jedoch nur durch erhebliche Anstrengungen bei der aktiven Suche nach betreuenden Lehrkräften möglich ist, und zwar rechtzeitig, um klare und endgültige Informationen zu erhalten, und in einem Zeitrahmen, der die Einschreibung der Studierenden ermöglicht. Einige Hochschuleinrichtungen sind in der Lage, darauf zu reagieren, weil ihre Vorschriften für die Vorinskription eine vorherige Identifizierung der Studierenden ermöglichen, während andere dies nicht tun, weil es keine Vorinskription gibt und erst nach der endgültigen Einschreibung eine wirksame Abgrenzung erfolgt, wenn auch mit Verspätung in Bezug auf den SESA-Strom. Letztere wenden die Strategie an, den Bedarf an Plätzen an der SESA zu hoch einzuschätzen, um die Frist für den Antrag zu gewährleisten. Da es sich jedoch nur um eine Hochrechnung handelt, können sie nur durch telefonischen Kontakt mit den Lehrern eine reale und gerechte Verteilung vornehmen.

In Bezug auf Punkt 4 beziehen sich die Probleme auf den Eingang der Bewerbungsunterlagen für Praktika beim HIAS und die Koordinierung der Psychologie-Präzeptoren innerhalb unterschiedlicher Zeitrahmen. In Bezug auf Punkt 11 ist die Anwesenheit von Lehrbetreuern gering.

Schließlich verweisen sie auf methodische Strategien, die einmalig angewandt wurden, wie z. B. Evaluierungssitzungen zwischen Praxisanleitern und betreuenden Lehrkräften im Laufe des Semesters und ein integriertes Treffen zwischen Studierenden, Praxisanleitern und betreuenden Lehrkräften zu Beginn des Semesters außerhalb des Krankenhauses.

In die Kategorie der nicht angewandten und als notwendig und relevant erachteten Maßnahmen fallen beispielsweise: *Feedback* an Studierende und betreuende Lehrkräfte im Verlauf der Lehr-Lern-Praktiken; standardisierte Bewertungsinstrumente; individuelles *Feedback* an die Studierenden am Ende des Praktikums; die Verpflichtung zur Abgabe von Berichten und die Organisation des aus dem Praktikum resultierenden wissenschaftlichen Produktionsprozesses.

Kapitel 4

4 INTERVENTIONSVORSCHLAG

4.1 Aktuelle und gewünschte Situation

4.1.1 Derzeitige Situation

Der Interventionsvorschlag wird die aktuelle Situation aufzeigen, um die aufgetretenen Probleme zu erläutern und als Grundlage für die Definition von Zielen zu dienen, die den vorgeschlagenen Zielsetzungen entsprechen. Die aktuelle Situation des Psychologie-Praktikums im HIAS stellt sich wie folgt dar:

1. Das Versäumnis des Psychologischen Dienstes, eine regelmäßige Anzahl von Plätzen im Einklang mit den von der SESA festgelegten Quoten anzubieten;

2. Versäumnis, das Psychologieangebot an den Hochschulen bekannt zu machen und die tatsächliche Nachfrage zu erheben, die sie erwarten;

3. Fehlen eines einzigen Zeitraums für die gleichzeitige Analyse aller Praktikumsanträge von Hochschulen durch den Psychologischen Dienst;

4. Das Fehlen standardisierter Kriterien für die Bewertung von Hochschulbewerbungen und die Auswahl von Studierenden angesichts einer Nachfrage, die das Angebot übersteigt, und die mangelnde Kenntnis der Hochschulen, die mit dem HIAS zusammenarbeiten;

5. Ungenauigkeit bei der Aufnahme von Praktikanten sowie bei der Überwachung und Bewertung der Praktikumsverfahren während des Praktikums;

6. Unzulänglichkeiten im Prozess des Aufbaus von Kompetenzen, Fähigkeiten und Einstellungen für die Praktikumspraxis und Strategien für die Absolvierung des Praktikums.

4.1.2 Gewünschte Situation

In Anbetracht der derzeitigen Situation und der Möglichkeit, dass die bewilligende Einrichtung eine führende Rolle bei der Durchführung von Praktika für Studierende im Krankenhausbereich übernimmt, ist vorgesehen, dass der Psychologische Dienst des HIAS eine Arbeitsanweisung und Leitlinien für die Verwaltung von Praktika für Studierende im Einklang mit den von der SESA und dem HIAS festgelegten Regeln ausarbeitet, um die Bereiche Bereitstellung, Zulassung, Überwachung und Abschluss abzudecken.

Im Hinblick auf die Bereitstellung sind die folgenden Maßnahmen vorgesehen:

1. Definieren Sie das regelmäßige Angebot an psychologischen Dienstleistungen;

2. Bekanntmachung des Psychologiedienstes an den Hochschulen und Durchführung einer Erhebung über die tatsächliche Nachfrage, die von den Hochschulen erwartet wird, im Hinblick darauf;

3. Festlegung eines einzigen Zeitraums für die Abteilung Psychologie zur gleichzeitigen Analyse aller Bewerbungsunterlagen von Hochschulen für Praktika;

4. Festlegung standardisierter Kriterien für die Bewertung von Hochschulbewerbungen und die Auswahl von Studierenden in Fällen, in denen die Nachfrage das Angebot übersteigt;

Im Bereich der Zulassungen werden die folgenden Maßnahmen vorgestellt:

1. Organisieren Sie das Verfahren für die Aufnahme von Praktikanten und die Vereinbarung des Interventionsprojekts auf der Grundlage der Lehrplananforderungen der Hochschulen;

2. Skizzieren Sie den Prozess des Aufbaus von Kompetenzen, Fähigkeiten und Einstellungen für den Beginn des Praktikums;

Die folgenden Aktionen werden auf der Überwachungsachse platziert:

1. Ausführliche Darstellung des Prozesses der Überwachung und Bewertung von Psychologiepraktika während des Studiums, einschließlich der Unterstützung und Förderung der wissenschaftlichen Produktion;

Im abschließenden Teil des Praktikums schließlich geht es um Folgendes:

2. Erarbeitung von Strategien für den Abschluss von Praktika durch die Präsentation wissenschaftlicher Arbeiten und Sozialisierungsprozesse in Partnerschaft mit Hochschuleinrichtungen;

3. Festlegung des Verfahrens zur Bewertung und Dokumentation abgeschlossener Praktika von Psychologie-Absolventen.

4.2 Grundlinien

Die Baseline liefert die Bezugspunkte für den Vergleich der aktuellen Situation, der zu verändernden Situation und der gewünschten Situation und zeigt den tatsächlichen Fortschritt des Interventionsprojekts an. Sie enthält daher die besten Schätzungen für den Ansatz und für die Problemlösung, als erfolgreiche Punkte nach abgeschlossenen Aufgaben.

Dieses Anwendungsprojekt stellt eine Ausgangsbasis dar, die den Ausgangspunkt und die Indikatoren für die Bewertung der Wirksamkeit erläutert.

Tabelle 2 - Beschreibung der aktuellen Situation und der Ergebnisindikatoren, je nach Antrag Projektvorschlag. Fortaleza, 2013

Aktuelle Situation	Ergebnisindikator(en)
Der Psychologische Dienst bietet nicht regelmäßig genügend Plätze an;	Ein Beschluss zur Begrenzung der Anzahl der von der Dienststelle pro akademischem Semester angebotenen Studienplätze;
Versäumnis, das Psychologieangebot an den Hochschulen bekannt zu machen und die tatsächliche und erwartete Nachfrage zu erheben	Korrespondenz eingegangen bei der Bewerber, um die angebotenen Stellen bekannt zu machen;

durch sie;	Korrespondenz von Hochschuleinrichtungen, die den Bedarf für das folgende akademische Semester prognostizieren;
Unauflösbarkeit eines einzigen Zeitraums für gleichzeitige Analysen durch das Psychologie aller Bewerbungsverfahren für Praktika an Hochschulen;	Entschließung zur Festlegung eines Sechsmonatszeitraums mit Fristen für die Analyse der Fälle;
Das Fehlen standardisierter Kriterien für die Bewertung von Hochschulbewerbungen und die Auswahl von Studenten angesichts des Szenarios von Nachfrage und Angebot. mangelnde Kenntnis der Partner der Hochschulen beim HIAS;	Das Standardarbeitsverfahren (SOP) des Dienstes mit Kriterien für die Analyse und Auswahl;
Ungenauigkeiten bei der Aufnahme von Auszubildenden sowie die Überwachung und Bewertung der Praktika während der Dauer des Praktikums;	Standardarbeitsanweisungen (SOPs), die die Phasen der Aufnahme sowie die Überwachung und Bewertung der Praktikumsverfahren enthalten;
Unzulänglichkeiten im Prozess des Aufbaus von Kompetenzen, Fähigkeiten und Einstellungen für die Praktikumspraxis und Strategien für die Absolvierung des Praktikums.	Standardarbeitsanweisungen (SOPs), die die Maßstäbe für die Durchführung der Aktivitäten und den Abschluss des Praktikums enthalten, einschließlich der Aspekte der Bewertung und Dokumentation.

4.3 Interventionsmaßnahmen

Die Umsetzung dieses Projekts umfasst die unten aufgeführten Maßnahmen, die dem Team des Psychologischen Dienstes zur Diskussion, Aneignung, Verbesserung und Entwicklung vorgelegt werden.

Im Hinblick auf die Wirksamkeit dieses Projekts sind die Maßnahmen in chronologischer Reihenfolge, in Bezug auf die Ausführungsfrist und in hierarchischer Reihenfolge, entsprechend der prozentualen Bedeutung der Maßnahme für die Erreichung des Ziels, angeordnet.

In Anbetracht des Endes des akademischen Semesters 2013.1 sind die Maßnahmen für das Semester 2013.2 und ihre Umsetzung im Dienst für das Semester 2014.1 geplant.

Tabelle 3 - Beschreibung der im Rahmen des Anwendungsprojekts vorgeschlagenen Maßnahmen, in der Reihenfolge

chronologisch und hierarchisch. Fortaleza, 2013

AKTION	SCHEDULE	HIERARCHIE % GEWICHT

Maßnahme	Nr.	Wert
Ausarbeitung einer Standardarbeitsanweisung (SOP) für den Dienst, die Kriterien für die Auswahl von Praktikanten enthält, wobei die von der SESA vorab festgelegten Quoten, die Gegenseite und die Leistungen der Hochschulen in den vorangegangenen Semestern berücksichtigt werden.	1	15
Ausarbeitung eines Standardarbeitsverfahrens (SOP), das Folgendes umfasst: a) die Aufnahmephasen; b) die Überwachung und c) die Bewertung der Praktikumsverfahren.	2	25
Erstellung von Standardarbeitsanweisungen (SOPs), die a) die Maßstäbe für die Durchführung praktischer Tätigkeiten und b) für die Durchführung von Praktika enthalten und die Aspekte der Bewertung und Dokumentation beinhalten.	3	25
Erlass eines Beschlusses, der die Anzahl der von der Dienststelle in jedem akademischen Semester angebotenen Studienplätze unter Berücksichtigung der von der SESA vorab festgelegten Quoten begrenzt.	4	15
Schriftwechsel mit Hochschuleinrichtungen über angebotene freie Stellen und Anfragen zu geplanten freien Stellen.	5	05
Erstellung eines Standardarbeitsverfahrens (SOP) mit einem jährlichen Flussdiagramm, in dem der Zeitraum für die Analyse der Prozesse in jedem Halbjahr genau festgelegt ist.	6	15

4.4 Ressourcen

Tabelle 4 - Beschreibung der im Rahmen des Anwendungsprojekts vorgeschlagenen Maßnahmen, je nach

Verantwortlich, Beginn und Ende, Ressourcen und Ergebnisindikatoren. Fortaleza, 2013

Aktion	Verantwortlich	Startseite	Ende der Geschichte	Ressourcen	)Ergebnisindikatoren
Vorbereitung von Standardarbeitsanweisungen (SOP) des Dienstes mit Auswahlkriterien von Auszubildende die von der SESA vorab festgelegten Quoten zu berücksichtigen , die Gegenpartei Leistung IES in früheren Semestern.	Koordinator des Psychologie-Praktikums bei HIAS	Aug/13	Aug/13	Computer Blätter Papier kram A4	Servipo SOP mit Analysekriterien Auswahl, ordnungsgemäß vorbereitet und genehmigt die Umstände HIAS.

Ausarbeitung von Standardarbeitsanweisung (SOP), die Folgendes enthält: a) die Schritte der (b) die Überwachung und (c) die Bewertung der Praktikumsverfahren.	Koordinator des Psychologie-Praktikums bei HIAS	Aug/13	Aug/13	Druckerpatronen G esetzgebung normative Dokumente	POP richtig ausgearbeitet und von der Kommissio n genehmigt HIAS.
Ausarbeitung von Standardarbeitsanweisungen (SOPs) enthalten: a) die Bezugnahme zur Realisierung Aktivitäten Praktikenb)für Schlussfolgerung von Praktika, die Folgendes enthalten Bewertung Dokumente.	Koordinator des Psychologie-Praktikums bei HIAS	Aug/13	Aug/13	verwandt. Biros. USB-Stick.	POP richtig ausgearbeitet und von der Kommissio n genehmigt HIAS.
Ausgabe von a Entsc hließung die Zahl der vom Dienst angebotenen Plätze zu begrenzen in jedem Semester unter Berücksichtigung der von der SESA vorab festgelegten Quoten.	Koordinatorin des Psychologiepraktikums bei HIAS.	Okt/13	Okt/13	Ressourcen Menschen: Koordinator, Ausbilder und Praktikanten.	Aktualisierte Auflösung.
Tro kade Korrespondenz mit Hochschuleinrichtungen über freie Stellen und Gesuche für voraussichtliche freie Stellen.	Koordinatorin des Psychologiepraktikums bei HIAS.	Nov/13	Nov/13	ADINS-Koordinator Koordinator des Studienzentrums.	Bei derIES eingegangene Korrespondenz Bewerbern am Ende des vorangegangenen akademischen Semesters mit der Bekanntgabe der angebotenen Stellen. Korrespondenz von Hochschuleinrichtungen mit Bedarfsprognose n für das folgende akademische Semester.

Festlegen eines Verfahrens Standardbetriebsprogra mm (SOP) mit Jahresablaufplan mit definiert genauer Zeitraum für die Analyse Prozesse jedes Semester.	Praktiku ms-Koordinator in Psychologie bei HIAS	Nov/13	Nov/13		POPcom Einrichtung halbjährliche Zeiträume mit genauen Fristen für die Analyse der Prozesse aktualisiert.
Gen ehmigung von Standardarbeitsanweisu ngen (SOP)	Koordinator des Studienzentrums	Aug/13	Nov/13		POPs validiert durch Studienzentrum
Gülti gkeit Standardarbeitsanweisu ngen (SOP)	ADINS- Koordinator	Aug/13	Nov/13		POP validiert durch Beratung Entwicklung Institutionell (ADINS)

4.5 Analyse der Durchführbarkeit des Plans

Die zufriedenstellende Durchführung dieses Projekts erfordert die direkte Beteiligung der psychologischen Abteilung des HIAS sowie innerhalb des HIAS eine Partnerschaft mit ADINS und dem Studienzentrum. Im externen Kontext wird die von der SESA geleistete Unterstützung bei der Anerkennung dieser Vorschriften von Bedeutung sein

untergeordnet und ergänzend zu den Praktika. Darüber hinaus ist es wichtig zu bedenken, dass der Fachbereich Psychologie in dem gewünschten Szenario zu einer engen und partnerschaftlichen Zusammenarbeit mit den Hochschulen ermutigt werden sollte. Daher ist es wichtig, sich mit ihnen über die vom Fachbereich Psychologie für den Praktikumsablauf erstellten Dokumente und Verfahren zu verständigen.

Das Projekt wurde zunächst dem Team der Präzeptoren des Fachbereichs Psychologie vorgestellt, die die Notwendigkeit des Projekts und ihr Engagement für seine Umsetzung bestätigten. Das Team besteht aus dem koordinierenden Psychologen, der einer der Autoren des Projekts ist, zwei Psychologen, die das Projekt betreuen, und zwei Pflegepsychologen, die ebenfalls ihren Beitrag geleistet haben.

Das Studienzentrum als die für die Lehr- und Forschungstätigkeiten am HIAS zuständige Verwaltungseinheit sollte das Projekt institutionell unterstützen, indem es es anerkennt und seine Durchführung sowie die anschließende Annahme der Verfahren für die Einrichtung von Praktika in der Psychologie genehmigt. Der Fachbereich Psychologie stand in ständigem Kontakt und Dialog mit diesem Referat und hat die bisher angewandten Strategien zur Verwaltung der Praktika sehr positiv aufgenommen.

Der koordinierende Psychologe wurde in der Entwicklung von Standardarbeitsverfahren geschult und hat bereits die SOPs für die Hilfsmaßnahmen des psychologischen Dienstes entwickelt. Für die

Entwicklung der in diesem Projekt vorgesehenen Verfahren ist jedoch eine Anleitung durch ADINS erforderlich. Es wird davon ausgegangen, dass dieses Büro in der Lage sein wird, alle an dem Prozess beteiligten Psychologen anzuleiten, wie bereits positiv signalisiert wurde. ADINS wird auch für die Validierung der entwickelten Verfahren zuständig sein.

In einem externen Szenario, in dem die Nachfrage größer ist als das Angebot, muss der Fachbereich Psychologie Vereinbarungen treffen und verhandeln, um die Anerkennung des Prozesses der Systematisierung von Praktika zu erreichen, indem er darauf hinwirkt, dass dieser inmitten der bestehenden Partnerschaften und institutionellen Beziehungen positiv aufgenommen wird. Dieses Vorgehen erfordert Geschick und Glaubwürdigkeit, aber diese Qualitäten werden bereits mit den Hochschulen bei der Verwaltung der aktuellen Situation praktiziert, und bisher wurden zufriedenstellende Ergebnisse erzielt, auch wenn es sich um Fälle von Streitigkeiten und Wettbewerb um Plätze und freie Stellen handelt. Die Forderung nach Standardisierung bezieht sich auf Fairness, Gerechtigkeit und Transparenz, Faktoren, die zur Akzeptanz der Produkte des Projekts beitragen.

Die unter Punkt 4 genannten logistischen Ressourcen sind kostengünstig und müssen nicht gekauft werden, da sie bereits vorhanden sind. Die Humanressourcen sind positiv engagiert und haben die Zeit, dies im Rahmen einer vernünftig vorbereiteten Planung zu tun. Darüber hinaus sind die Partnerschaften im HIAS auf Akzeptanz und Beteiligung ausgelegt, was ein Szenario mit weit mehr Stärken als Schwächen darstellt. Es gibt keine antagonistischen Kräfte oder politischen Fragen, die sich negativ auswirken könnten, da die Berufsgruppen über die nötige Autonomie verfügen, um Entscheidungen über Praktika in ihren Bereichen zu treffen, solange sie die hierarchisch festgelegten Regeln respektieren, was bei dem fraglichen Projekt der Fall ist. Schließlich stellt der Vorschlag, eine Position der Unbestimmtheit und der Abwechslung zu überwinden, indem ein regelmäßiger und homogener Prozess angeboten wird, ein positives organisatorisches Szenario dar.

BIBLIOGRAPHIE

BERNARDES, J. S. Psychologieausbildung nach 50 Jahren des ersten nationalen Psychologie-Lehrplans: einige aktuelle Herausforderungen. **Psicol. cienc. prof.**, Brasilia, v. 32, n. spe, 2012 .

BORGES, J. C. S. **Caring for lives: a** historical review of the Albert Sabin Children's Hospital. Fortaleza: HIAS, 2006. 112p.

BRASILIEN: Abgeordnetenkammer. Dokument- und Informationszentrum. Gesetz Nr. 4.**119 vom 27. August 1962.** Regelt die Studiengänge in Psychologie und den Beruf des Psychologen. Cole^áo de Leis do Brasil - 1962, Seite 96 Bd. 5 (Veröffentlichtes Original). Verfügbar unter: < http://www2.camara.leg.br/legin/fed/lei/1960-1969/lei-4119-27-agosto-1962-353841- norma-pl.html >. Abgerufen am: 13. Mai 2013.

BRASILIEN: Präsidentschaft der Republik. Zivilkammer. **Gesetz Nr. 6.494 vom 7. Dezember 1977.** Es regelt Praktika für Studenten an Hochschulen und Berufsschulen der zweiten Stufe sowie weitere Bestimmungen.
Verfügbar unter: <http://www.planalto.gov.br/ccivil 03/leis/l6494.htm> Zugriff am: 25. Mai 2013.

BRASILIEN: Ministerium für Gesundheit. Exekutivsekretariat. **Einheitliches Gesundheitssystem (SUS): Grundsätze und Ergebnisse.** Brasilia: Ministerium für Gesundheit, 2000.

BRASILIEN. MINISTERIUM FÜR BILDUNG. **Nationale Lehrplanrichtlinien für Psychologiestudiengänge im Grundstudium.** Beschluss Nr. 8, vom 7. Mai 2004. Amtsblatt der Union. Brasilia, 2004.

BRASILIEN: Ministerium für Gesundheit. Sekretariat für Gesundheitsfürsorge. **Verordnung Nr. 741, vom 19. Dezember 2005.** Definiert die Parameter für die Planung und Bewertung des hochkomplexen Onkologienetzes. Brasilia, 2005. Verfügbar unter: <http://www.brasilsus.com. br/legislacoes/sas/3501-741>. Abgerufen am: 13. Mai 2013.

CARVALHO, B.G.; MARTIN, G.B.; CORDONI, L. Die Organisation des Gesundheitssystems in Brasilien. In: ANDRADE, S.M.; SOARES, D.A.; CORDONI, L. **Bases da saúde coletiva. Londrina**: Ed. UEL, 2001, S.27-59.

CEARÁ. Ministerium für Gesundheit. **Verordnung Nr. 747/2008 vom 2. Juni 2008**. setzt die Bewilligung von Praktikumsanträgen durch die Leiter der Krankenhäuser und ambulanten Einrichtungen, die Teil der Organisationsstruktur des staatlichen Gesundheitsamtes sind, aus.

CFP. Bundesrat für Psychologie. **Beschluss Nr. 010/2005 vom 21. Juli 2005**. Verabschiedet den Kodex der Berufsethik für Psychologen. Verfügbar unter: < http://site.cfp.org.br/wp-content/uploads/2012/07/codigo etica.pdf >. Abgerufen am: 25. Mai 2013.

. Bundesrat der Psychologie. **Beschluss Nr. 003/2007 vom 12. Februar 2007** setzt die konsolidierten Beschlüsse des Bundespsychologierates um. Verfügbar unter: < http://site.cfp.org.br/wp-

content/uploads/2007/02/resolucao2007_3.pdf >. Abgerufen am: 25. Mai 2013.

. Bundesrat für Psychologie. **Beschluss Nr. 13 vom 14. September 2007**. Legt die konsolidierten Beschlüsse über den Berufstitel des Facharztes für Psychologie fest und bestimmt die Regeln und Verfahren für seine Eintragung. Brasilia, 2007. Verfügbar unter: <http://www.sbph.org.br/uploads/link/resolucao2007 13.pdf?PHPSESSID=6c00603ba 6bec181af08cb5a6a35adc2 > Zugriff am: 13. Mai 2013.

Föderaler Rat für Psychologie. **Beschluss Nr. 03, vom 12. Februar 2007**. Führt die Konsolidierung der Entschließungen des Bundesrates für Psychologie ein. Brasilia, 2007. Verfügbar unter: < http://site.cfp.org.br/wp- content/uploads/2003/06/resolucao2003 7.pdf>. Abgerufen am: 13. Mai 2013.

. Föderaler Rat für Psychologie. **Beschluss Nr. 001/2009 vom 30. März 2009**. Legt die Verpflichtung zur Aufzeichnung von Dokumenten fest, die aus der Erbringung von psychologischen Dienstleistungen resultieren. Verfügbar unter: <http://site.cfp.org.br/wp- content/uploads/2009/04/resolucao2009 01 .pdf>. Abgerufen am: 25. Mai 2013.

FREIRE, Paulo. **Die Bedeutung des Lesevorgangs**. Sao Paulo: Cortez/Autores Associados, 1982. P. 22.)

FREIRE, P. **Pedagogía do oprimido**. 13. Auflage. Rio de Janeiro: Paz e Terra, 1983.

HIAS. Albert-Sabin-Kinderkrankenhaus. Studienzentrum. Lernen Sie **HIAS kennen**: Profil des Albert-Sabin-Kinderkrankenhauses - Umfrage. Fortaleza, 2012.

MARCHIORI, L. M.; MELO, J.; MELO, W. J. Teacher evaluation in relation to new technologies for didactics and attention in higher education. Avaliagao (Campinas), Sorocaba, v. 16, n. 2, Juli 2011.

SPINK, M. J. P; MATTA, G. C. Psychologische Berufspraxis im öffentlichen Gesundheitswesen: historische Konfigurationen und aktuelle Herausforderungen. In: SPINK, M. J. P. (Org). **A psicologia em diálogo com o SUS: prática profissional e produgao académica**: Sao Paulo, 2007, S. 25 - 52.

ANHÄNGE

ANHANG A - KALKULATIONSTABELLE GROVE

Ursprüngliche Problemstellung: "Unvereinbarkeit zwischen akademischer Ausbildung (theoretisch) und den realen Bedürfnissen des SUS (praktisch)"

PA-Anwendungsszenario: Albert Sabin Kinderkrankenhaus (HIAS) - Medizinische Abteilung Psychologie

Zielgruppe: Auszubildende mit abgeschlossenem Psychologiestudium.

Aktuelle Fragestellung: "Mangelhafte Systematisierung des Prozesses der Eingliederung von Psychologiestudenten in das Absolventenpraktikum in einem Tertiärkrankenhaus".

ANWENDUNG PROJEKT GROVE SPREADSHEET

Vorrangiges Problem - Unzulänglichkeiten bei der Systematisierung des Praktikums von Psychologiestudenten in einem Krankenhaus der Tertiärstufe.

Team/Ressourcen Konfrontation Zielsetzung

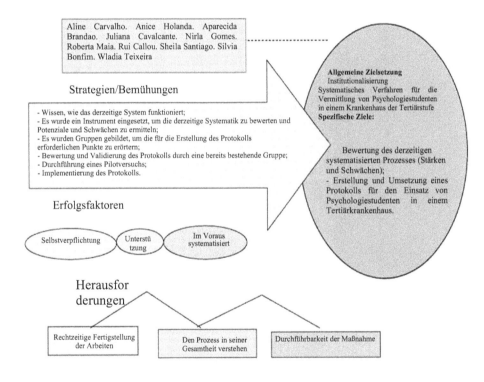

Aline Carvalho. Anice Holanda. Aparecida Brandao. Juliana Cavalcante. Nirla Gomes. Roberta Maia. Rui Callou. Sheila Santiago. Silvia Bonfim. Wladia Teixeira

Strategien/Bemühungen

- Wissen, wie das derzeitige System funktioniert;
- Es wurde ein Instrument eingesetzt, um die derzeitige Systematik zu bewerten und Potenziale und Schwächen zu ermitteln;
- Es wurden Gruppen gebildet, um die für die Erstellung des Protokolls erforderlichen Punkte zu erörtern;
- Bewertung und Validierung des Protokolls durch eine bereits bestehende Gruppe;
- Durchführung eines Pilotversuchs;
- Implementierung des Protokolls.

Erfolgsfaktoren

Selbstverpflichtung — Unterstützung — Im Voraus systematisiert

Herausforderungen

Rechtzeitige Fertigstellung der Arbeiten — Den Prozess in seiner Gesamtheit verstehen — Durchführbarkeit der Maßnahme

Allgemeine Zielsetzung
Institutionalisierung
Systematisches Verfahren für die Vermittlung von Psychologiestudenten in einem Krankenhaus der Tertiärstufe
Spezifische Ziele:

Bewertung des derzeitigen systematisierten Prozesses (Stärken und Schwächen);
- Erstellung und Umsetzung eines Protokolls für den Einsatz von Psychologiestudenten in einem Tertiärkrankenhaus.

ANHÄNGE
ANHANG A

Kurs Psychologische Unterstützung für hospitalisierte Kinder
Organisation: Psychologische Abteilung des CPC und NOEL/NAIF - HOSPITAL INFANTIL ALBERT SABIN
PARTNERSCHAFT UND UNTERSTÜTZUNG: ASSOCIAÇÃO PETER PAN
Syllabus für das Semester 2013.1

DATUM	ZEIT	INHALT	LEHRER	STUNDEN
FREITAG 12.04.2013				
MORGEN	08h-10h	Frühkindliche Syndrome: Epidemiologie und Haupttypen	Erlane Ribeiro (HIAS)	2h/a
	10.00-10.30 Uhr	Intervall		
	10:30-12:30 Uhr	Krebs bei Kindern und Jugendlichen: Epidemiologie, Haupttumorarten und Behandlung	Atur Moraes (HIAS-CPC)	2h/a
NACHMITTAG	14.00-16.00 Uhr	Gesundheitspsychologie im Krankenhauskontext in Public Health.	Cinthia Vasconcelos (HC - Porto Alegre)	2h/a
	16h-16:30h	Intervall		
	16:30-18:30	Theoretisch-methodischer Rahmen und Strategien für die psychologische Betreuung von Kindern im Krankenhaus.	Anice Holanda (CPC)	2h/a
SAMSTAG 13.04.2013	**ZEIT**	**INHALT**	**LEHRER**	**STUNDEN**
MORGEN	08h-10h	Psychoedukation in der pädiatrischen Krankenhausumgebung.	Daniele Furlani (UNIFOR)	2h/a
	10.00-10.30 Uhr	Intervall		
	10:30-12:00 Uhr	Psychologische Beurteilung - Anwendung in der pädiatrischen Krankenhausumgebung.	Mércia Capistrano (FCRS)	2h/a

FREITAG 19.04.2013

ZEIT	INHALT	LEHRER	STUNDEN
MORGEN 08h-10h	Kurze fokale Psychotherapie - Kurze unterstützende Psychotherapie.	Regina Celi (NOEL/NAIF)	2h/a
10.00-10.30 Uhr	Intervall		
10:30-12:30 Uhr	Palliativversorgung in der pädiatrischen Onkologie	Giselle Sucupira (UNIFOR)	2h/a
NACHMITTAG 14.00-16.00 Uhr	Die Humanisierungspolitik und die Krankenhauspsychologie	Harrismana Pinto (CPC)	2h/a
16h-16:30h	Intervall		
16:30-18:30	Registrierung von psychologischen Interventionen und Vormundschaft im Krankenhauskontext.	Anice Holanda (CPC)	2h/a

SAMSTAG 20.04.2013

ZEIT	INHALT	LEHRER	STUNDEN
MORGEN 08h-09:15h	Multiprofessionelles Team und interdisziplinäre Arbeit - Erfahrung in der Palliativmedizin.	Fernanda Gomes (APP-CPC)	1:15h
09:15-09.30	Intervall		
09:30-10:45	The Peter Pan Association - Freiwilligenarbeit und das Unterstützungsnetz für Patienten und ihre Familien.	Olga Maia (APP)	1:15h
10:45 Uhr - 12 Uhr	Sozialarbeit in der pädiatrischen Onkologie und Zusammenarbeit mit dem Psychologenteam.	Socorro Alencar (CPC)	1:15h

GESAMTE ARBEITSLAST	ZEIT	INHALT	LEHRER	STUNDEN
				24h/a

VERFAHREN UND LEITLINIEN FÜR PSYCHOLOGISCHE TÄTIGKEITEN

REFERENZ: 2013-1
Interventionseinheiten:
1. Kinderkrippe (3. Stock)
2. Chemotherapie-Tag (QT-DIA) und Ambulanz (1. Stock)
3. Referat Verfahren (2. Stock)
4. Sequentielle Chemotherapie (QTS) (2. Stock)
5. Intensivpflegestation (CPC ICU) (2. Stock)

OBS: Psychologieraum: erster und zweiter Stock.

CPC - Wichtige Zahlen:

Einheiten/Programme/Freiwillige.	Menge
Ambulante Kliniken:	
Frühdiagnose	01
Ernährung	01
Behandlung	04
Palliativmedizin	01
Anzahl der Nutzer pro Tag	70
Betten in der Tagesklinik:	16
Sequentielle Chemotherapie-Betten:	24
Eigene Betten:	24
I.T.U.-Betten	07
Die sozialen Programme und Projekte von APP	20
Anzahl der Freiwilligen	217

Von der Psychologie durchgeführte Aktivitäten:

Unterstützung:
Position: Krankenpflege (E)

Aktivitäten:

1. **Individuelle/dyadische Betreuung von Krankenhauspatienten und Begleitern:**
   a. Rufen Sie die tägliche Patientenkarte auf, die auf den Psychologie-Computern verfügbar ist (Mein Computer/Psychologiecpc auf Serverhias/technischer Ordner/Registrierungskarte/Ordner tägliche Patientenkarte/Tageskarte 2013/Ordner Monat - siehe Datum).
   b. Aktualisierung des Pflegezensus (Station im dritten Stock), Identifizierung von Neuzugängen, Patienten mit Komplikationen, Patienten mit Rückfällen und Palliativpatienten.
   c. Wenn eine Nachsorge für alle Patienten möglich ist, sollte sie durchgeführt werden; andernfalls sollte eine Triage mit folgenden Prioritäten erfolgen: 1) Notfälle; 2) Neuzugänge; 3) Anfragen des Teams und/oder von Familienmitgliedern, Rückfallpatienten und Patienten,

die nicht geheilt werden können.

d. Bei der Triage nehmen Sie die Anamnese (bei Neuankömmlingen) auf und orientieren sich an dieser Art von Patienten und an den anderen.

e. Einzel-, Dyaden- oder Dyadenberatung, am Krankenbett, im Psychologieraum oder an einem anderen Ort auf der Station.

f. Konsultation und Koordination mit dem Team der pädiatrischen Onkologie und den Sozialprogrammen von APP;

g. Technische Referenz: Fokale Kurzzeit-Psychotherapie, Beratung
Psychologisch (oder anders, wie im Interventionsprojekt vereinbart)

h. Verwendung von Spielmaterial, das am Ende aseptisch gereinigt werden muss.

i. Montag bis Freitag und/oder Samstag

j. Eintragung gemäß der GFP-Entschließung 001/2009.

k. Legen Sie das Spielprodukt (Zeichnungen, Bilder) in einem Ordner von A bis Z in alphabetischer Reihenfolge ab und versehen Sie die Zeichnung mit dem vollständigen Namen des Patienten und dem Datum.

FLOWCHART:

1) NEUER PATIENT:
a. Im Rahmen der Vollversorgung: ANKOMMEN/ANAMNESE - VERTRAG - NACHVERFOLGUNG AUF DER KRANKENPFLEGE, IN DER INNENSTATION UND ggf. AMBULATORISCHE NACHVERFOLGUNG (für den Abschluss) - BEWERTUNG - ENTSETZUNG - ÜBERWEISUNG AN DAS PSYCHOLOGIE-TEAM DES TAGESKLINIKUMS/SEQUENTIELLE QT;

b. Auf einer Triage-Basis: ATTENDENZ/ANAMNESE - REFERENZLEITFADEN FÜR DAS PFLEGE-PSYCHOLOGIE-TEAM UND/ODER SEQUENTIAL DAY-HOSPITAL/QT;

2) NICHT UNERFAHRENER PATIENT:
a. PFLEGE - VERTRAG - NACHBEREITUNG AUF DER KRANKENPFLEGE, DER INNENSTATION, DER AUSSERHALBEN UNTERSTÜTZUNG UND DER AUSSERHALBEN NACHBEREITUNG (für den Abschluss) - BEWERTUNG - ENTLASTUNG/ZUSAMMENBRUCH - ÜBERWEISUNG AN DAS PSYCHOLOGIE-TEAM DES SEQUENTIALEN TAGES-/QT-KLINIKUMS;

b. Auf einer Triage-Basis: ATTENDANCE - GUIDANCE- ÜBERWEISUNG AN DAS PFLEGE-PSYCHOLOGIE-TEAM UND/ODER SEQUENTIALES TAGESKRANKENHAUS/QT;

Zuweisung: I.T.U. (Intensivstation)

Aktivitäten:

1. **Individuelle Betreuung/Nachbetreuung durch das Mitglied des Psychologenteams, das die Station oder die Tagesklinik/Sequential QT besucht hat:**

a. Rufen Sie die tägliche Patientenkarte auf, die auf den Psychologie-Computern verfügbar ist (Mein Computer/Psychologiecpcem serverhias/technischer Ordner/Registrierungskarte/Ordner tägliche Patientenkarte/Tageskarte 2013/Ordner Monat - siehe Datum).

b. Harris, die Pflegepsychologin, fungiert als Referenz in der I.T.U. Der Praktikant sollte von ihr Anleitung zu den Besonderheiten des Sektors erhalten.

c. Aktive Suche auf der Intensivstation anhand des Pflegezensus, Identifizierung von Neuzugängen, Komplikationen und Palliativpatienten.

d. Individuelle/dyadische Betreuung am Bett und/oder im Psychologieraum oder in einem anderen Bereich des Vorzimmers der Intensivstation, wenn es sich um Begleitpersonen handelt.

e. Technische Referenz: Fokale Kurzpsychotherapie, Psychologische Beratung (oder eine andere im

Interventionsprojekt vereinbarte Methode).
f. Konsultation und Koordinierung mit dem APP-Team und den Sozialprogrammen;
g. Verwendung von Spielmaterial, das im ITU möglich und zugelassen ist, unter angemessener Asepsis.
h. Montag bis Freitag und/oder Samstag
i. Eintragung gemäß der GFP-Entschließung 001/2009.
j. Legen Sie das Spielprodukt (Zeichnungen, Bilder) in einem Ordner von A bis Z in alphabetischer Reihenfolge ab und versehen Sie die Zeichnung mit dem vollständigen Namen des Patienten und dem Datum.

FLOWCHART:
1) NEUER PATIENT:
   a. ANKOMMEN/ANAMNESE - VERTRAG - NACHVERFOLGUNG AUF DER KRANKENPFLEGE UND AMBULATORISCHE NACHVERFOLGUNG (ggf. für den Abschluss) - BEWERTUNG - ENTSETZUNG/ENTLASSUNG - ÜBERWEISUNG AN DAS PSYCHOLOGISCHE TEAM DES TAGESKLINIKUMS/SEQUENTIELLE QT;

2) NICHT UNERFAHRENER PATIENT:
   a. PFLEGE - VERTRAG - NACHVERFOLGUNG IN DER PFLEGE, UNTERSTÜTZUNG AUSSERHALB UND NACHVERFOLGUNG AUSSERHALB (für den Abschluss) - BEWERTUNG - ENTSETZUNG/ÜBERGABE - ÜBERWEISUNG AN DAS TAGESKRANKENHAUS/QT PSYCHOLOGIE TEAM;

2. **Durchführung von Orientierungs- und Unterstützungsmaßnahmen für die auf die Intensivstation verlegten Begleitpersonen und die besuchenden Angehörigen, einschließlich der individuellen/dyadischen Betreuung der Letzteren, falls erforderlich.**
   a. Orientierungssitzungen am Nachmittag oder Abend vor der Besuchszeit im Warteraum der Intensivstation;
   b. Einzelbetreuung/Tagespflege für Notfälle, falls erforderlich.
   c. Unterstützung während der Besuchszeiten und im Dialog mit dem Intensivpflegeteam, mit dem Ziel, die Beziehung zwischen Familie und Team zu vermitteln.
   d. Technische Referenz: Fokale Kurzzeit-Psychotherapie, Beratung Psychologische (oder eine andere im Interventionsprojekt vereinbarte)
   e. Verwendung von Bildmaterial und Multimedia-Ressourcen.
   f. Montag bis Freitag und/oder Samstag/Sonntag.
   g. Eintragung gemäß der GFP-Entschließung 001/2009.

KAPAZITÄT: SEQUENTIELLE MENGE (QTS)

Aktivitäten:
   1. **Anwesenheit von Patienten und Betreuern auf halbem Wege zwischen den Kursen:**

      8. Rufen Sie die tägliche Patientenkarte auf, die auf den Computern der Psychologie verfügbar ist (Mein Computer/psicologiacpcem servidorhias/technischer Ordner/ Registrierungskarte/ Ordner tägliche Patientenkarte/ tägliche Karte 2013/ Ordner Monat - siehe Datum).

      9. Besuche an den Betten; Einsichtnahme in die Krankenakten, wobei alle Patienten willkommen sind;

      10. Psychologische Bewertung der Anforderungen mit Hilfe eines spezifischen Instruments;

      11. Die Anzahl der Beratungen, die für Fälle mit identifiziertem Bedarf durchgeführt wurden, mit psychologischem Zuhören:

      12. Erforderlichenfalls Interkonsultationen und Interaktion mit dem Team;

      13. Theoretischer Bezug: Psychologische Beratung/ kurze unterstützende Psychotherapie (oder eine andere im Interventionsprojekt vereinbarte Methode).

      14. Sie haben sich mit Freiwilligen oder Ergotherapeuten abgesprochen und/oder spielerische Interventionen mit den Kindern/Jugendlichen durchgeführt.

      15. Montag bis Freitag.

1. Eintragung gemäß der GFP-Entschließung 001/2009.
2. Legen Sie das Spielprodukt (Zeichnungen, Bilder) in einem Ordner von A bis Z in alphabetischer Reihenfolge ab und versehen Sie die Zeichnung mit dem vollständigen Namen des Patienten und dem Datum.

3. **Unterstützung durch eine Orientierungs- und Selbsthilfegruppe für pflegende Angehörige:**
   a. Eine offene multiprofessionelle Gruppe, zu der Mütter und andere begleitende Familienangehörige eingeladen werden, die in der QTS und der Intensivstation anwesend sind (aufgrund der Nähe der Umgebung).
   b. Häufigkeit: wöchentlich oder vierzehntägig (je nach Verfügbarkeit der Gruppe), Donnerstagnachmittag;
   c. Inhalte, die darauf abzielen, Informationen über die Krankheit, die Behandlung und die Gesundheitsfürsorge zu vermitteln und die Unterstützung für psycho-emotionale Bedürfnisse zu fördern, ohne einen psychotherapeutischen Charakter anzunehmen.
   d. Technische Referenz: Selbsthilfegruppen, Psychoedukation, Gesundheitserziehung.
   e. Verwendung von Bildmaterial, Multimedia-Ressourcen.
   f. Eintragung gemäß der GFP-Entschließung 001/2009.

KAPAZITÄT: TAGESKLINIK (HD)

Aktivitäten:

1. **Psychologische Ambulanz:**
   a. Patienten- und/oder Familienpflege durch aktive Suche oder auf Wunsch von Familienmitgliedern und/oder Personal;
   b. Dieser Dienst basiert auf einer Bewertung der Beschwerde und des Bedarfs, gefolgt von der Definition der geeigneten Intervention : orientiert;

   Psychologische Beratung/BP-Unterstützung; Psychoedukation, u.a. (Definition Überweisung/Follow-up) oder fokale Kurzpsychotherapie - Prozess oder Unterstützung.
   c. Erledigung von Aufgaben am Empfang, um die freie Nachfrage der Kinder, die in den Raum kommen, zu befriedigen, Organisation von Einzel- oder Gruppenspielen.
   d. Fachliche Referenz: Kurzzeit-Fokus-Psychotherapie, Beratung Psychologie, Gesundheitserziehung, Rezeption (oder eine andere im Interventionsprojekt vereinbarte Maßnahme).
   e. Konsultation und Koordinierung mit dem APP-Team und den Sozialprogrammen;
   f. Verwendung von grafischen und spielerischen Materialien.
   g. Montag bis Freitag.
   h. Eintragung gemäß der GFP-Entschließung 001/2009.
   i. Halten Sie die Spielprodukte (Zeichnungen, Bilder) in einem Ordner von A bis Z in alphabetischer Reihenfolge fest und vermerken Sie auf der Zeichnung den vollständigen Namen des Patienten und das Datum.

2. **Zentrum für Frühdiagnose:**
   a. Aktive Suche nach Fällen mit gesicherter Diagnose mit der Pflegefachkraft der Ambulanz (oder auf anderem Wege).
   b. Mitwirkung an der Erstellung des Diagnoseberichts, falls vom behandelnden Arzt gewünscht.
   c. Wenn eine Nachuntersuchung für alle Patienten möglich ist, sollte sie durchgeführt werden.
   a. Wenn es keine gibt, führen Sie eine Triage der kritischsten Fälle durch und kümmern sich um Anamnese, Aufnahme und Beratung.
   b. Einzel-/Doppelberatung im Psychologieraum oder in einem anderen Teil der Tagesklinik.
   c. Konsultation und Koordinierung mit dem APP-Team und den Sozialprogrammen;
   d. Technische Referenz: Fokale Kurzzeit-Psychotherapie, Beratung Psychologisch.
   e. Verwendung von Spielmaterial.

f. Montag bis Freitag.

g. Eintragung gemäß der GFP-Entschließung 001/2009.

h. Legen Sie das Spielprodukt (Zeichnungen, Bilder) in einem Ordner von A bis Z in alphabetischer Reihenfolge ab und versehen Sie die Zeichnung mit dem vollständigen Namen des Patienten und dem Datum.

FLOWCHART:

a. In der Vollversorgung: AUFNAHME/ANAMNESE - VERTRAG - NACHVERFOLGUNG IM TAGESKLINIKUM, in der Krankenpflege, auf der Intensivstation und in der AMBULATORISCHEN NACHVERFOLGUNG (für den Abschluss) - BEWERTUNG - ENTLASSUNG - ÜBERWEISUNG AN DAS TAGESKLINIKUM/SEQUENTIELLE QT UND/ODER PFLEGE-PSYCHOLOGIETEAM.

b. Auf einer Triage-Basis: ATTENDENZ/ANAMNESE - Empfang/Orientierung - Überweisung an das psychologische Betreuungsteam und/oder die Tagesklinik/Quat

SEQUENTIAL;

3. **Projekt Warteraum:**

   a. **Warteraum für Diagnose-/Kontrollverfahren (Einheit Verfahren:**
      i. Willkommen
      ii. Identifizierung neuer und alter Patienten
      iii.   Spielerische Aktivitäten.
      iv.   Beratung/Unterstützung für Patienten und/oder Betreuer
         über die durchzuführenden Tests und den Umgang mit der Diagnose für Neueinsteiger anhand eines Sammelalbums.
      v. Anmeldung auf einem speziellen Formular gemäß der GFP-Entschließung 001/2009, wobei der vollständige Name des Patienten und der Begleitperson anzugeben ist.
      vi.   Statistische Überwachung von Informanten für wissenschaftliche Arbeiten.

   b. **Selbsthilfegruppe für krebskranke Kinder.**
      i. Einladung an Patienten ab 07 Jahren
      ii. Kostenlose Mitgliedschaft
      iii. Halbstrukturierte Aktivität, mit Themen im Zusammenhang mit der Entwicklung, Krankheit und Behandlung von Kindern.
      iv.   Verwendung von Spielmaterial, Bildmaterial und Büchern.
      v. Häufigkeit: zwei Sitzungen pro Woche.
      vi.   Dauer: etwa eineinhalb Stunden.
         Eintragung gemäß der GFP-Entschließung 001/2009,
         und vergessen Sie nicht, die vollständigen Namen der Patienten anzugeben.

4. **Begrüßung von Patienten und Betreuern:**

   a. Begrüßung von Patienten, bei denen ein eindeutiger Krebsverdacht besteht, Stärkung der Bindung in der Zeit vor der Aufnahme, Anhören ihrer Zweifel und Beratung über die Bedeutung der **Bewältigung des Diagnoseprozesses**;

   b. Begrüßung neu diagnostizierter Patienten auf der Station, um sie über die für sie wichtigsten Themen zu informieren.

   c. Die Strategie besteht darin, den Diskurs und die subjektiven Fragen im Zusammenhang mit der möglichen und tatsächlichen Krebsdiagnose und der Behandlung aufzunehmen, zu bewerten, psychologisch zu beraten und gegebenenfalls an die Psychologische Abteilung des CPC zu überweisen;

   d. Durchführung von Aktivitäten zur Gesundheitserziehung auf der Grundlage der Autonomie der Patienten/Familienmitglieder, d. h. Arbeit an den Punkten, die sie für ihre Anpassung bei ihrer Ankunft als wichtig erachten, unter Verwendung von zu diesem Zweck entwickeltem Material, wie z. B. der Erziehungsbroschüre für Eltern, wenn diese akzeptiert wird und man erkennt, dass dies der strategische Moment ist.

   e. Koordinierung mit den Sozialprogrammen der A'PP und mit den Sozialdiensten.

Methodik:

f. Identifizieren Sie die in der neu aufgenommenen Station anwesenden Benutzer;

g. Auf der Grundlage der täglichen Zahlen Programmieren und Abhalten von Einzel-/Dyade-Empfangssitzungen für Nutzer mit klarem Krebsverdacht und neue Patienten und ihre Begleitperson(en) unter Verwendung von Aufklärungsmaterial;

h. Eine Begrüßungssitzung und eine Orientierung für Einzelpersonen und Gruppen.

AUFTRAG: SONNENSCHEINPROGRAMM - PALLIATIVMEDIZIN (PRS-CP):

Eine PC-Pflegestrategie, an der alle Abteilungen des CPC beteiligt sind und die auf einer multiprofessionellen "Unterstützungsklinik" (Arzt, Psychologe, Krankenschwester und andere Fachleute) basiert, die darauf abzielt, Patienten zu unterstützen, die nicht mehr geheilt werden können, wobei der Schwerpunkt auf der Schmerz- und Palliativpflege im Allgemeinen liegt. Das oben erwähnte Programm steht in direkter Partnerschaft mit dem CP in Psychologie, das aus einem Professor und drei Beratern besteht.

Aktivitäten:

a. Teilnahme am Palliative-Care-Treffen (PC), das jeden Mittwochmorgen von 8.30 bis 9.30 Uhr im Psychologieraum im ersten Stock stattfindet und an dem das multiprofessionelle Team, der Projektkoordinator, die Beratungsfachkräfte, ein oder mehrere Pflegepsychologen und der 20h-Praktikant der Tagesklinik teilnehmen.

b. Die Assistenten des Psychologenteams sind die Referenz für das multiprofessionelle Team und den ÖGD-CP in Bezug auf die Palliativversorgung.

c. Sobald die Phase, in der eine Heilung nicht mehr möglich ist, kommuniziert wurde, wird die Betreuung durch den PRS-CP erweitert. Diese Erweiterung und Einführung des PRS-CP-TEAMS ERFOLGT durch das psychologische Assistenzmitglied, das die Bindung zu diesem neuen Mitglied herstellt und pflegt.

d. Sobald dies geschehen ist, wird ein einzigartiges therapeutisches Projekt (PTS) von dem psychologischen Assistenten, einem Mitglied des PRS-CP und anderen Fachleuten des Betreuungsteams/der Ambulanz erstellt. Ein Mitglied des PRS-CP übernimmt den Fall und kann an der Kommunikationssitzung über die Out-of-Cure-Situation und andere Interventionen teilnehmen.

e. Durch den PT sollte, wenn nötig, die Verbindung zum onkologischen Versorgungsnetz gefördert und durchgeführt werden.

f. Das Mitglied des PRS-CP wird durch Strategien zur Ausweitung der Pflege auf Familienmitglieder, Hausbesuche, Traumverwirklichungen und andere Aktionen zur Ausweitung der Pflege beitragen.

g. Diejenigen, die die PTS von Patienten, die sich einer PC unterziehen, leiten, werden das APP-Team und die Programme konsultieren, diskutieren und unterstützen.

h. Eintragung gemäß der GFP-Entschließung 001/2009

i. Halten Sie die Spielproduktion (Zeichnungen, Gemälde) in einer Mappe von A bis Z in alphabetischer Reihenfolge fest, wobei Sie den vollständigen Namen des Patienten und das Datum auf die Zeichnung schreiben.

Lehre und Forschung (EP):
Zuweisung: Núcleo Mais Vida - NMV und Teilnahme am Albert Sabin Children's Hospital Study Centre - HIAS

1. Durchführung von und/oder Teilnahme an Forschungsaktivitäten, die vom NMV und/oder dem HIAS-Studienzentrum entwickelt wurden und die Sammlung, Transkription, Analyse, Diskussion und Vorbereitung wissenschaftlicher Arbeiten beinhalten.

2. Durchführung von und/oder Teilnahme an Informations- und Lehrtätigkeiten am NMV und/oder am HAIS-Studienzentrum, einschließlich der Vorbereitung und Durchführung von Programmen und/oder Projekten und Veranstaltungen, die sich an die interne Öffentlichkeit des CPC und die Gemeinschaft richten.

3. Teilnahme an speziellen NMV/APP-Projekten. Aktuelle Projekte:

a. Betreuungsnetz mit dem NASF - Fortsetzung der Maßnahmen (Empfang mit Auslieferung der Aufklärungsbroschüre und der Selbsthilfegruppe für Eltern sowie Aufnahme weiterer

Aktivitäten)
  b. Früherkennungsprogramm - Quixadá und Quixeramobim (Beginn: Juni)

Koordinierung (CO):

Ort: Psychologie-Koordination (es gibt keinen bestimmten Raum, er kann im CPC und/oder im NMV sein)

1. Konzeption und Durchführung von Einführungsschulungen für Auszubildende, Beratungspersonal und Freiwillige.
2. Überwachung der von den Auszubildenden und Beratern durchgeführten Aktivitäten durch systematische Überwachung und wöchentliche/vierzehntägige Treffen zur technischen Überwachung sowie Studien- und Diskussionsgruppen.
3. Management des Prozesses der Anwerbung von Praktikanten und Beratern, einschließlich der Teilnahme an Vorschlags- und/oder Beratungsgremien, der Vorbereitung und Überwachung der relevanten Dokumente, der Interaktion mit den verschiedenen Akteuren des Prozesses, um Verweise zu klären.
4. Verwaltung des Verlaufs des Praktikums und der Verlängerungsprojekte, einschließlich der Teilnahme an den Vorschlags- und/oder Beratungsgremien, Erstellung und Überwachung der einschlägigen Dokumente, Interaktion mit den verschiedenen Akteuren des Prozesses zur Lösung von Problemen.
5. Verwaltung der Forschungs- und Beratungsaktivitäten des NMV und/oder des HIAS-Studienzentrums unter der Verantwortung der Psychologie, einschließlich der Überwachung von Stipendiaten, Praktikanten oder Beratern und externen Forschern, die direkt mit der Forschung arbeiten.
6. Verwaltung der administrativen und logistischen Abläufe des Referats Psychologie des GPG, einschließlich Maßnahmen in Bezug auf Humanressourcen, Beschaffung und Instandhaltung von Material, Mobiliar, physischen Strukturen und anderen einschlägigen Maßnahmen, einschließlich der Bereitstellung einschlägiger Unterlagen und deren Weiterverfolgung.
7. Management des psychologischen Arbeitsprozesses als Teil eines multiprofessionellen Teams, einschließlich der Programm-, Projekt- und Adhäsionsplanung, der Überwachung, der Lösung von Konflikten und Hindernissen, der Teilnahme an Vorschlags- und Beratungsgremien und anderer geeigneter Maßnahmen, einschließlich der Bereitstellung einschlägiger Unterlagen und deren Überwachung.
8. Zusammenarbeit mit der Paritätischen Parlamentarischen Versammlung (PPV) in Angelegenheiten, für die sie in Anspruch genommen wurde, einschließlich der Konzeption   ,   Vorbereitung, Durchführung und/oder Überwachung von Programmen,
    Projekte, Mitgliedschaft, Verwaltungsmaßnahmen, Anwerbung und Schulung von Freiwilligen und vieles mehr.
9. Informelle Koordinierung der Psychologie im HIAS, die Maßnahmen in Bezug auf alle oben genannten Punkte umfasst.

10. Vertreter der Psychologie im HIAS-Ethikausschuss für Forschung am Menschen, im Bioethikausschuss und im Redaktionsausschuss der HIAS-Zeitschriften.

INDIVIDUELLE BETREUUNG / DIE DYADE
ARTEN DER PSYCHOLOGISCHEN BERATUNG

SIGLA	NAME DES VORGANGS
APRD	Prä-diagnostische Betreuung
APD	Post-diagnostische Betreuung
API	Psychologische Intercourts
AE	Notfalldienste
ARC	Pflege bei Rückfall
AFPC	Pflege bei Unmöglichkeit der Heilung
APO	Postmortale Familienpflege
APC	Chirurgische Vorbereitung
OP	Psychologische Beratung
VP	Psychologischer Besuch
ITC	Professionelle Interkonsultation
OAP	Sonstige nicht beschriebene psychologische Unterstützung

ANHANG C - HIAS-PRODUKTE UND -DIENSTLEISTUNGEN

DIENSTLEIST UNGEN/PROD	BESCHREIBUNG
Stationäre, ambulante und häusliche Unterstützungsd ienste.	JCambulante medizinische Konsultationen in folgenden Fachbereichen: Kardiologie, Onkologie, Hepatologie, Dermatologie, Endokrinologie, Gastroenterologie, Genetik, Allergologie, Hämatologie, Infektiologie, Nephrologie, Neurologie, Augenheilkunde, Orthopädie, Neurochirurgie, Pneumologie, Rheumatologie, Neonatologie, Hals-Nasen-Ohren-Heilkunde, Gynäkologie für Kinder und Jugendliche, Psychiatrie und Kinderchirurgie in 8 Fachgebieten, *J* ConsultancySpezialisiert auf : Psychologie, Krankenpflege, Ernährung, Logopädie, Zahnmedizin, Physiotherapie, Ergotherapie, Psychopädagogik und Sozialhilfe. J **Notfallversorgung in der** Kinderklinik und Kinderchirurgie. J l **nternagöes Krankenhaus:** Klinisch, chirurgisch, fachlich Pädiatrie, pädiatrische und neonatale Intensivpflege. J l **Krankenhausaufenthalte zu Hause,** einschließlich Patienten mit invasiver mechanischer Beatmung. J **Hospitaldia in:** Onkologie, Nephrologie , Genetik, Immunologie, Rheumatologie, Pneumologie und Mukoviszidose. J **Unterstützende Dienste:** Labor für klinische Pathologie, Mikrobiologie, Immunhistochemie, Molekularbiologie , Zytogenetik, diagnostische Bildgebung, grafische Methoden, Audiometrie, Pharmazie, Zahnmedizin, Ergotherapie, Logopädie , Krankenpflege, Physiotherapie, Psychologie, Psychopädagogik, Sozialdienste, Ernährung und Diätetik, parenterale und enterale Ernährung, Medizinisches Archiv und Statistik (SAME), Zentrum für steriles Material (CME), Zentrum für medizinisches Material im Krankenhaus (CMMH), Ausschuss für die Bekämpfung von Infektionskrankheiten im Krankenhaus (CCIH), Ombudsstelle, Spezialisierter Dienst für Sicherheit und Arbeitsmedizin (SESMT), Ausschuss für interne Unfallverhütung (CIPA), Krankenhaus-Gesundheitsrisikomanagement (GRSH), Milchbank, Känguru-Projekt, Epidemiologie, Immunisierung mit CRIE (Referenzzentrum für spezielle Immunbiologie), Neugeborenen-Triage, Zentrum für die Prävention von Neugeborenen-Krankheiten (Núcleo de

	Bewertung der Gesundheitstechnologie (NATS), Internes Regelungszentrum. *J* **Unterstützungsdienste im Gastgewerbe und in der Verwaltung**: Korrektive und präventive Instandhaltung von Gebäuden und Ausrüstungen, allgemeine Dienste, Einkaufsverwaltung, Lager, Buchhaltung, Kostenstelle, Qualitätsbüro, Material und Anlagen, Personalbereich, Dienst für menschliche Entwicklung, Kunstwerkstatt, GRSS (Abfallwirtschaft des Gesundheitsdienstes), Wäscherei, Transport, Ausrüstungszentrum, Informatikbereich, Sozialdienste.
Lehre und Forschung	**Facharztausbildung:** Kinderchirurgie, Orthopädie, allgemeine Pädiatrie und Kardiologie , Krebs- und Lungenheilkunde, Hämatologie, Neonatologie, Nephrologie, Gastroenterologie, Intensivmedizin. J **Internship:** Medizin und Krankenpflege, J **Lehrplanmäßige Praktika** in der Krankenpflege, Physiotherapie, Psychologie, Sozialarbeit, Zahnmedizin, Pharmazie J **Forschungsprojekte**, die von der örtlichen Ethikkommission genehmigt wurden. J **Organisierte technische wissenschaftliche Veranstaltungen.**

FORMULAR FÜR NICHT-OBLIGATORISCHE PRAKTIKA

NAME: **TELEFONNUMMERN:**

STRASSE (AVENUE):   N°

ERGÄNZUNG: **STADT:**   **BUNDESLAND :POSTLEITZAHL:**

E-Mail: HERKUNFTSUNIVERSITÄT - UFC (   ) - UNIFOR( ) - FATECI (   )

- UECE (   ) - ANDERE (   ):

1. Bevorzugter / Bevorzugter theoretischer Ansatz (derjenige, den Sie am meisten studiert / trainiert haben):

2. OBLIGATORISCHE (CURRICULARE) UND/ODER NICHT-OBLIGATORISCHE (AUSSERCURRICULARE) PRAKTISCHE ERFAHRUNG IN KLINISCHEN UND KRANKENHAUS-/GESUNDHEITSBEREICHEN (VORZUGSWEISE PRAKTIKUM). Falls Sie keine Erfahrung in diesen Bereichen haben, geben Sie bitte etwaige institutionelle Bereiche an: SOZIALES, RECHT, SCHULBILDUNG UND SONSTIGES.

KUNDEN-ALTERSBEREICH: (   ) Kleinkinder ( )Jugendliche ()   Erwachsene
(   )ältere Menschen

ART DER ERFAHRUNG(EN):

INTERVENTIONSMODALITÄT(EN), DIE IN ALLEN EXPERIMENTEN VORHERRSCHEND WAR(EN):

(   ) Einzelperson ( )Gruppe ( )Familie ( )Gemeinschaft ( )andere:

3. SEINE AKADEMISCHE AUSBILDUNG KONZENTRIERTE SICH BISHER AUF:

( )Klinische Psychologie ( )Krankenhaus-/Gesundheitspsychologie ( )Kommunale Sozialpsychologie ( )
                    Rechtspsychologie ( )Pädagogische Psychologie
( )Organisations- und Arbeitspsychologie   ( )andere.

4. THEORETISCHER KAPAZITÄTSAUFBAU IN DER KLINISCHEN PSYCHOLOGIE (Kurse, Studiengruppen / Lehrgänge / wissenschaftliche Veranstaltungen, von kurzer oder mittlerer Dauer oder Fortbildungskurse / lange Dauer):

(   ) ja. Zitieren Sie denjenigen mit der höchsten Arbeitsbelastung:

(   ) nein

5. THEORETISCHE AUSBILDUNG IN HOSPITALPOSYCHOLOGIE / GESUNDHEITSPOSYCHOLOGIE (Kurse, Studiengruppen / Kurse / wissenschaftliche Veranstaltungen, von kurzer oder mittlerer Dauer oder Fortbildungskurse / lange Dauer):

(   ) ja. Zitieren Sie denjenigen mit der höchsten Arbeitsbelastung:

(   ) nein

6. **THEORETISCHER** KAPAZITÄTSAUFBAU IN DER PSYCHOLOGIE (Kurse, Studiengruppen / Lehrgänge / wissenschaftliche Veranstaltungen, von kurzer oder mittlerer Dauer oder Fortbildungskurse / lange Dauer):

(   ) ja. Zitieren Sie denjenigen mit der höchsten Arbeitsbelastung:

(   ) nein

7. **THEORETISCHER** KAPAZITÄTSAUFBAU IN KURZER FOKALER PSYCHOTHERAPIE (Kurse, Studiengruppen / Lehrgänge / wissenschaftliche Veranstaltungen, von kurzer oder mittlerer Dauer oder Fortbildungskurse / lange Dauer):

(   ) ja. Nennen Sie den Kurs mit den meisten Stunden: Psychologische Beratung:

(   ) nein

    16. **LERNEN SIE NUR?** (   ) JA (   ) NEIN. Andere Tätigkeit(en) realisiert(e):

WIE VIELE FÄCHER WERDEN SIE IN DEM SEMESTER, IN DEM DAS PRAKTIKUM BEGINNT, BELEGEN?
WIE VIELE ANDERE PRAKTIKA IM SELBEN SEMESTER?

9. **PSYCHOTHERAPIE:**
(   ) tut derzeit () hat getan (   )nie getan

10. **VERFÜGBARE ZEITEN FÜR DAS PRAKTIKUM:**
MARKIERUNG MIT EINEM **X**

ZEIT	SEG	TER	MITTWO CH	QUIN	FREITA G	BEOBACHTUNGE N:
8-9						
9-10						
10-11						
11-12						
13-14						
14-15						

15-16						
16-17						
17-18						

Milton Keynes UK
Ingram Content Group UK Ltd.
UKHW030944140324
439440UK00001B/121